Marketing van de facilitaire organisatie

Concurreren op een interne markt

Marketing van de facilitaire organisatie

Concurreren op een interne markt

Eerste druk, vierde oplage

Herman B. Kok

Samsom Alphen aan den Rijn/Diegem 1999

Eerste druk, eerste oplage 1997
Eerste druk, tweede oplage 1998
Eerste druk, derde oplage 1999
Eerste druk, vierde oplage 2000

Opmaak: Interlink Consultants, Oud-Beijerland
Druk: A-D Druk bv, Zeist

CIP

Herman B. Kok

ISBN 90-14-05657-5
NUGI 684
D/1997/5640/010

Inhoud

Voorwoord

Zo'n vijftien jaar geleden werd mij verzocht een trainingsmodule in te vullen bij de opleiding voor leidinggevenden in de interne dienstverlening. Op grond van eigen ervaring als Office services en Real Estate manager bij een Amerikaans computerbedrijf, stelde ik voor om de marketing van interne diensten als 'leitmotif' te kiezen.

Vandaag de dag is die training nog steeds een cruciaal bestanddeel van de opleiding tot senior facilities manager bij FMH.

De schrijver van dit boek is een goede leerling geweest, zo goed dat hij inmiddels 'gepromoveerd' is tot gastdocent voor deze module.

Onderhavig boek bevat een van de belangrijkste en anderzijds minst belichte aspecten van facilitaire dienstverlening, namelijk: 'welke facilitaire producten moeten op welke wijze tegen welke prijs, intern dusdanig aangeboden worden dat zij, enerzijds een bijdrage leveren aan het ondernemingsresultaat en anderzijds aan een stimulerende werkomgeving'.

Een en ander betekent een significante wijziging in gedrag, methodiek en marktbenadering om de beperkingen van aanbodzijde en/of productdenken te ontstijgen (wat we kunnen of doen, is bepalend voor het niveau van dienstverlening), naar een houding en organisatorische invulling die de interne klant centraal stelt. Dit laatste echter niet vanuit een ondergeschikte en nederige grondhouding, maar vanuit een professionele gelijkwaardigheid die recht doet aan een heldere en duidelijke klant/leverancier-relatie.

De marketing van facilitaire dienstverlening richt zich, anders dan consumentenmarketing, uiteraard niet primair op het stimuleren van de vraag naar facilitaire producten en diensten, maar op:
- Het stimuleren van kostenbewustzijn en consuminderen (volgens de principes van 'less is more').
- Het gebruiken van interne prijsvorming als mechanisme voor vraagstructurering.
- Het aanleveren van gereedschappen voor de onderhandelingen over interne contracten van dienstverlening (ICD's of service level agreements).
- Het analyseren van klantbehoeften naar rato van toegevoegde waarde.
- Et cetera.

Het zou een simplificering van deze vorm van marketing zijn te veronderstellen dat hier slechts sprake is van het toevoegen van 'intern' aan de begripsbepalingen en omdraaien van stimuleren in ontmoedigen.

Een andere kijk vraagt een andere systematiek. Dit boek levert een zeer belangrijke bijdrage om te komen tot een fundamentele verandering in de interne dienstverlening.

Ik wens de klant; gebruiker en/of betaler, waarvoor dit boek uiteindelijk geschreven is, een facilitair boeiende toekomst en de lezer daarmee een bloeiend facilitair bedrijf.

Bussum, februari 1997
Henk Klee
algemeen directeur FMH Facility Management

1 Inleiding

Marketing van de facilitaire organisatie behandelt in eerste instantie de problematiek van een interne afdeling die haar plek moet zien te behouden op een interne markt. Met deze interne afdeling bedoel ik dan de civiele dienst, interne dienst, interne zaken, algemene dienst, algemene zaken, facilitaire dienst, facilitair bedrijf, facilitair bureau, facilitair beheer, huishoudelijke zaken, huishoudelijke dienst, hoteldienst, hotelservices en wat we allemaal nog meer tegen kunnen komen aan benamingen voor de facilitaire organisatie binnenshuis. Zo veel benamingen als er zijn voor de organisatie-eenheid zo veel benamingen zijn er ook voor de functie van de leidinggevende van deze eenheid: hoofd algemene zaken of dienst, hoofd interne zaken of dienst, manager ondersteunende zaken, hoofd algemene voorzieningen, hoofd kantoordiensten, hoofd inwendige dienst, directeur facilitair bedrijf, manager interne dienst, manager unit verzorging. Maar de allermooiste is toch 'hoofd dienstverlening en intern beheer'. Afgezien dat het een erg lange titel is, dekt het wel de lading naar mijn mening. De facilitaire organisatie is er voor een stuk dienstverlening en voor het beheer van alles wat zich intern afspeelt en niet tot de kerntaken van het bedrijf behoort.

Met de facilitaire organisatie is dus in eerste instantie een interne afdeling of organisatie-eenheid bedoeld die zich bezighoudt met ondersteunende dienstverlening ten behoeve van het primaire bedrijfsproces. Heeft het boek dan geen betrekking op of raakvlakken met de verzelfstandigde facilitaire organisatie, het facilitair bedrijf? Jawel, en helemaal wanneer dit facilitair bedrijf zijn diensten vooralsnog alleen maar levert aan het bedrijf waar het uit voort komt. Een boek over marketing van de facilitaire organisatie kan in principe op twee manieren worden uitgelegd. Enerzijds kun je je als schrijver richten op de aanbieders van facilitaire diensten in het algemeen die concurreren op de markt voor facility management-diensten. Dat noem ik de uitleg in ruime zin. Op deze markt concurreren schoonmaakbedrijven, beveiligingsbedrijven, cateraars et cetera onderling met soortgenoten om hun diensten te mogen leveren aan bedrijven en instellingen. Van de gehele behoefte aan ondersteunende diensten bij deze bedrijven en instellingen vult ieder van deze dienstenaanbieders zijn eigen specifieke gedeelte in. Als we nou kijken naar één zo'n bedrijf of instelling zien we dat zich daar ook een strijd afspeelt (ook al wordt dit vaak niet zo onderkend). Deze strijd wordt gevoerd tussen de interne facilitaire afdeling en de verschillende dienstenaanbieders die al of (nog) niet van buitenaf zijn ingeschakeld. De marketingproblematiek van die ene aanbieder van facilitaire diensten die concurreert op een markt die wordt begrensd door de eigen bedrijfsmuren, de zogenaamde 'interne markt', is de uitleg in enge zin.

De reden om met het boek te focussen op 'het gevecht op leven en dood' dat zich afspeelt binnen de bedrijfsmuren is op de eerste plaats omdat marketing nog niet erg is doorgedrongen in deze regionen. Commerciële facilitaire bedrijven passen allemaal hun marketingstrategieën toe om de opdracht te veroveren, voordat de concurrentie het doet. De facilitaire organisatie daarentegen krijgt ieder jaar een budget en een takenpakket toegewezen om vervolgens tegen zo weinig mogelijk kosten haar diensten te leveren. In tussentijd wordt er door het management van de onderneming, ofwel de aandeelhouders van de facilitaire organisatie, een discussie gevoerd over het voortbestaan van deze facilitaire organisatie. Dat heeft zoals bekend niet zelden geleid tot het uitbesteden van een aantal diensten. In extreme gevallen is de facilitaire organisatie helemaal uitbesteed aan diverse externe partijen of een main contractor, of ze is verzelfstandigd. Echter deze verzelfstandigde facilitaire organisatie, het Facilitair Bedrijf BV, levert in de meeste gevallen nog steeds haar diensten exclusief aan het bedrijf waaruit ze is voortgekomen. Met dit verschil dat er nu marktconforme prijzen worden (door)berekend en de BV z'n eigen broek moet zien op te houden door eenvoudigweg winst te maken. Wanneer ook de laatste stap in de richting van het 'zelfstandig ondernemerschap' wordt gezet biedt de verzelfstandigde facilitaire organisatie haar diensten aan op de commerciële markt. Plotseling is het een professionele gespecialiseerde dienstenaanbieder die het moet zien te rooien op een grote boze markt. Plotseling voelt men ook ineens de noodzaak om in marketingtermen te denken, want we hebben concurrentie en we willen klanten. Maar wat vaak wordt vergeten is dat marketing denken al veel eerder kan worden toegepast. Al in het stadium dat de facilitaire organisatie nog 'gewoon' een interne afdeling is, die het de collega's naar de zin moet maken met een steeds kleiner wordend budget van 'de baas'. Ook dan heeft de facilitaire organisatie al te maken met marketingproblematiek.

Marketingproblematiek? Jazeker, er is toch sprake van concurrentie en er is toch zeker sprake van klanten. Dat er concurrentie is blijkt niet alleen uit het proces van uitbesteding en verzelfstandiging van de facilitaire organisatie. Het interne gevecht om de budgetten kent ook concurrenten, de collega-afdelingen. En de collega's van de medewerkers die de diensten waarmaken zijn collega's na werktijd. Want onder werktijd heten ze gewoon klanten, omdat het afnemers zijn van de facilitaire organisatie. Concurrentie is heerlijk, het houdt scherp, het haalt het beste in de ondernemende mens naar boven en het biedt vooruitgang.
De tweede reden voor dit boek is dat de facilitaire organisatie zichzelf vaak als een bedrijf binnen een bedrijf beschouwd. En wellicht zijn ze dat ook wel. Daarom werd het ook maar eens tijd om dat speciale bedrijf iets over toegepaste marketingwetenschappen bij te brengen.

Als ik kijk naar de verdeling positiebepaling (deel II) en implementatie van marketinginstrumenten (deel III), dan wordt de nadruk gelegd op de analyse en positiebepaling van de facilitaire organisatie om te komen tot de meest geschikte marketingstrategie. Dat lijkt verwonderlijk maar is het niet. Eerst wanneer je exact weet waar je staat met je organisatie kun je komen tot positieverbetering. Als de facility manager een koers uitstippelt en implementeert zonder een gedegen analyse en positiebepaling vooraf, vaart hij blind en is als een kapitein die z'n schip de oceaan op stuurt zonder kompas. Sun-Tzu, Chinees militair commandant, schreef in zijn meester-werk 'De kunst van het oorlog voeren' (ca. 400 v.C.) in het eerste hoofdstuk, dat gaat over beoordelingen het volgende:

"Daarom, om het resultaat van de oorlog in te schatten moeten we de situatie taxeren op basis van de vijf volgende criteria, en de twee partijen vergelijken door hun relatieve krachten te beoordelen.......Op grond van deze vergelijking weet ik wie zal winnen en wie zal verliezen."

Nu is het gebruik van militaire strategieën in de marketing niet vreemd maar wel erg betwist. Ik ben één van de voorstanders. Het sleutelbegrip in Suns klassieker is 'strategisch voordeel' en dat bereik je op basis van een goed vergelijk met je tegenstander(s). Afijn, wie het boek heeft gelezen weet daar dan alles van af en zal zelfs goed uitgerust zijn voor de strijd op het grote toneel, de derden markt. Ik zal het anders stellen: wie de kunst van het positioneren van de eigen organisatie ten opzichte van de klant en de concurrentie verstaat, zal dit op iedere markt weten toe te passen. De facilitaire dienstenstrateeg of -ondernemer heeft dit reeds voorzien, de facilitaire dienstenmanager zal het moeten zien uit te voeren en de facilitaire dienstenleider voorziet de mensen die het moeten doen van de nodige inspiratie om het ook inderdaad te kunnen doen. Voor al deze typen op facilitair dienstverleningsgebied is het boek bedoeld.

Een boek schrijven is een intensieve hobby heb ik gemerkt en vergt niet alleen veel van de schrijver. Ook de omgeving heeft plotseling te maken met een teruggetrokken, tot in de vroege uurtjes actieve, weinig trek in andere dingen hebbende en van tijd tot tijd leeg geschreven en soms wat geïrriteerd persoon. Lof voor al diegenen die dat zagen en overwonnen en bij voorbaat al aangaven het boek te zullen kopen. Speciaal wil ik drie mensen vermelden die ieder op hun eigen manier zorgden voor inspiratie, koers en zelf-vertrouwen. Ed Nijssen, docent commerciële beleidsvorming aan de Erasmus Universiteit Rotterdam, voor de vlotte response op m'n mailtjes met marketingvragen. Top, het waren er niet veel, maar het effect was groot. Ruud van Veldhuizen, hoofd facilitair bureau concernstaf van het Kadaster te Apeldoorn. Je hebt het werk gelezen, je zette me aan het denken en aan het muteren en je gaf me vertrouwen. Klasse. En Henk Klee, algemeen directeur FMH Facility Management te Bussum. Omdat je het zo druk had kon ik een aantal marketinglessen overnemen, en dat bleek de aanzet te zijn voor het boek. Geweldig.

Amersfoort/Maarssen, februari 1997.

Herman B. Kok.

2 Wat wordt verstaan onder facilitaire dienstverlening

Facilitaire dienstverlening bestaat uit alle ondersteunende taken ten behoeve van het primaire (productie)proces van een organisatie. Al die taken en zaken die het de mensen in een organisatie gemakkelijker maken om hun eigenlijke werk uit te voeren en die zorg dragen voor continuïteit van het primaire proces vallen onder facilitaire dienstverlening. De mensen in en om het bedrijf of de instelling moeten tegemoet worden gekomen, moet het gemakkelijk worden gemaakt en moet hulp worden verleend bij de uitoefening van hun functie. Althans, dat is de letterlijke vertaling van facilitaire dienstverlening. En daarbij gaat het in eerste instantie om de mensen zelf en op de tweede plaats komt hoe dat gebeurt. Facility management draait niet om een gebouw of om middelen. Facility management draait om mensen. Wanneer een pand is gebouwd, is er nog geen facilitaire organisatie nodig. Zet het hele gebouw vol met middelen en er is nog geen noodzaak om een facility manager aan te trekken. Maar breng mensen onder in het gebouw en laat deze mensen met de aanwezige middelen aan de slag gaan.......dan ineens ontstaat er een noodzaak tot facility management. Het gebouw en de middelen zijn statische elementen die pas tot 'leven' komen wanneer mensen er gebruik van maken. En alleen omdat mensen gebruik (willen) maken van ruimten en middelen, is er een facilitaire organisatie nodig om het beroep op bepaalde diensten, dat hieruit voortvloeit, uit te voeren.

2.1. Het facility management-kruis

Om de positie van de facility manager en van de facilitaire organisatie inzichtelijk te maken, introduceer ik het facility management-kruis. Aan de hand van dit model wordt heel snel duidelijk wat het spanningsveld is waarin de facility manager zich geplaatst weet. De positie die de facility manager inneemt binnen de organisatie is gelijk aan die van een spin in het (organisatie)web. De facility manager staat hierbij in het midden en dus ook in het middelpunt van de belangstelling. Deze spil zit gevangen in een spanningsveld dat bestaat uit een viertal krachten:

- **Primair proces**
  Om te beginnen is er het primaire proces van de onderneming. De facilitaire organisatie is in het leven geroepen omdat mensen in een gebouw met

behulp van bepaalde middelen een product of een dienst produceren, voortbrengen en aanbieden en hierbij bepaalde ondersteunende diensten behoeven. Die 'productie' is het primaire proces of ook wel de oorsprong van het bedrijf waarvoor het destijds werd opgericht. Als dat wegvalt houdt alles op, voor iedereen in de organisatie. De facility manager en zijn afdeling werden pas daarna in het leven geroepen en kregen als kerntaak mee het *zorg dragen voor de continuïteit van het primaire proces door geen verstoring van de productiviteit te laten ontstaan*. Het leveren van facilitaire diensten is dan wellicht in de ogen van de facility manager zijn primaire proces en dat is het uiteraard ook. Maar in het licht bezien van de totale organisatie levert de facility manager met zijn organisatie ondersteuning aan het grote geheel dat zorg draagt voor een bepaald primair proces. Het primaire proces geeft in die zin de facility manager zijn bestaansreden, een baan en een salaris retour.

- **Management**
  Naast het primaire proces heeft de facility manager te maken met een management. De facility manager heeft altijd een meerdere waaraan hij verantwoording schuldig is om de eenvoudige reden dat deze meerdere budget ter beschikking stelt aan de facility manager. Daarmee is het management, ofwel de bedrijfsleiding, in feite de *aandeelhouder* van de facilitaire organisatie geworden. En aandeelhouders investeren met een bepaalde rendementsverwachting of zelfs rendementseis. Dat kan zijn, naast continuïteit van het primaire proces, kostenbesparing, dat kan zijn het creëren van een prettige werksfeer voor alle pandbewoners of bijvoorbeeld het zo efficiënt mogelijk omgaan met beschikbare ruimte. Toch lijkt het vaak dat het management maar in één ding geïnteresseerd is, en wel geld. En de voornaamste reden daarvan is omdat iedere manager uiteindelijk zelf ook weer wordt afgerekend op basis van geld. En of het nou toegevoegde waarde betreft (omzet, winst, marge) of toegenomen eigen vermogen, het maakt niet uit. Eén van de meest eenduidige meetpunten is nog steeds geld. Daarom zal de baas van de facility manager geïnteresseerd zijn in hoeveel geld de facilitaire dienstverlening kost en hoeveel het opbrengt. Het doel van het management, de aandeelhouders, is namelijk niet de instandhouding van een facilitaire organisatie, maar nogmaals continuïteit van het primaire proces.

- **Klanten**
  Vervolgens heeft de facility manager te maken met klanten, ofwel iedereen die zich in en om de huisvesting van het bedrijf bevindt en direct of indirect een beroep doet op de facilitaire organisatie. Dit zijn zowel interne klanten (werkzaam bij het bedrijf dat het primaire proces voortbrengt) als externe klanten (werkzaam voor of bezoekers van het bedrijf). Deze klanten doen permanent een beroep op de facilitaire organisatie in de vorm van allerlei 'kwissen', bestaande uit klachten, wensen, informatieverzoeken en storings-meldingen op facilitair gebied. Alles wat niet direct te maken heeft met het primaire proces, of beter de uiteindelijke productie of dienstverlening van het bedrijf, komt terecht op de schouders van de facility manager en zijn organisatie. Naar aanleiding van al deze 'kwissen' zal de facility manager

bepaalde dienstverlening moeten initiëren en zorgen dat de uiteindelijke prestatie wordt geleverd.

- **Leveranciers**
  Het vierde en laatste krachtveld of aandachtsgebied van de facility manager is dan ook de leveranciers van deze diensten. Facilitaire diensten kunnen zowel door de eigen facilitaire organisatie worden verleend als door externe dienstverleners of leveranciers. Voor de facility manager maakt het niet uit of de diensten in eigen beheer zijn of zijn uitbesteed. Hij is uiteindelijk toch verantwoordelijk voor de uitvoering van de totale facilitaire dienstverlening.

Het facility management-kruis is een bruikbaar model waarmee telkens de positie en invloed van de verschillende partijen en krachten op de gehele facilitaire operatie inzichtelijk kunnen worden gemaakt. Verderop zal het model nog eens uitgebreid terugkomen, daar waar het gaat om de eerste aanzet tot het ontwikkelen van een marketingstrategie.

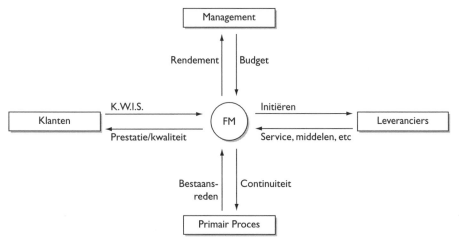

Figuur 2.1. Het facility management-kruis

2.2. Focus op de klant

En de klant daar draait het om. Geen klanten, geen facilitaire dienstverlening. Wil de facilitaire organisatie haar bestaansreden omzetten in bestaansrecht zal ze daarom aan de behoeften van haar klanten tegemoet moeten komen en moeten zorg dragen voor tevreden terugkomende klanten. Dat is de focus of moet althans de focus zijn van de facilitaire organisatie. Daarnaast hebben de aandeelhouders een bepaalde rendementsverwachting of -doelstelling van de investering die ze plegen in de facilitaire organisatie. Als daaraan niet wordt voldaan zullen ze geneigd zijn om andere leveranciers die dat wel kunnen waarmaken in te schakelen. Kortom, de facilitaire organisatie ontleent haar bestaansrecht aan het naar tevredenheid en tegen een marktconforme prijs/kwaliteit-verhouding kunnen leveren van facilitaire diensten, waarbij wordt voldaan aan de kwaliteitsverwachting van de klant en de rendementsverwachting van de aandeelhouders.

3 Wat wordt onder marketing verstaan

Zoals voor facility management talloze definities bestaan kent ook marketing niet een eenduidige omschrijving. In nagenoeg alle marketing-definities komen we echter wel trefwoorden als behoeftebevrediging en ruilproces tegen. Het begrip marketing is afgeleid van het Engelse "going to the market". Marketing is al zo oud als de mensheid zelf. Sinds er markten bestaan (denk hierbij gerust aan een vismarkt, groenmarkt en veemarkt) wordt er eigenlijk al aan marketing gedaan. Er zijn altijd minimaal twee partijen bij betrokken. De ene partij heeft een bepaalde behoefte (de koper), de andere partij heeft iets te bieden waarmee deze behoefte kan worden bevredigd (de verkoper). Via een ruilproces gaat vervolgens het aanbod over van verkoper op koper, en zal de koper daar iets, een ruilmiddel, tegenover zetten. Erg lang geleden hadden we dan de situatie dat een baal meel werd verhandeld voor bijvoorbeeld drie kippen. Echter de ene dag was een baal meel drie kippen waard, en de andere dag werd het geruild voor een schaap. Het lag er dus maar net aan wie op het moment van handelen tegenover je stond. Ook werden er wel schelpen en edelstenen als ruilmiddel gebruikt. Het kwam er op neer dat die baal meel geen vaste waarde had die eenvoudig kon worden uitgedrukt. Tot er een uniform ruilmiddel werd geïntroduceerd dat geld heette. Toen kon men de waarde of de prijs van een bepaald product ineens uitdrukken in een algemene eenheid. De waarde die een product heeft, of beter de vergoeding die het waard is, ligt echter nog steeds niet vast. Het heeft altijd te maken met vraag en aanbod. Hoe meer vraag er naar iets is hoe hoger de prijs zal komen te liggen. Iets wat schaars is zal ook weer hoger geprijsd zijn dan iets wat overal verkrijgbaar is. Maar omdat zowel vraag als aanbod zelf ook weer door veel factoren worden beïnvloed, denk alleen al maar aan tijd, kwaliteit, leeftijd van een bepaald product, risico, seizoensinvloed en of iets legaal of illegaal is, zijn er in feite vele tientallen factoren die van invloed zijn op de prijs. Een voorwaarde voor het tot stand komen van de prijs middels dit vraag- en aanbodspel, het zogenaamde marktmechanisme, is dat er sprake is van een open markt. Een markt waarop volkomen concurrentie heerst, die doorzichtig is en waar mededingers optreden. Als het marktmechanisme niet in werking is zal de prijs kunstmatig tot stand worden gebracht. Dit kennen we nog in bepaalde monopolies (de spoorwegen en de diamantindustrie zijn daar nog één van de weinige voorbeelden van), oligopolies (een goed voorbeeld daarvan is de olie-industrie) en in communistische of staatsgeregelde markten. In zulke gevallen heeft de koper slechts de keuze om wel of niet van het (beperkte) aanbod gebruik te maken, en het product of de dienst af te nemen tegen de prijs die door de leverancier is bepaald. Gelukkig voor de kopers wordt er niet altijd het onderste uit de kan gehaald.

De marketinggedachte of het marketingconcept bestaat eruit dat ondernemingen de wensen en verlangens van afnemers op de markt centraal stellen bij hun handelen. We noemen dit ook wel: het denken en handelen vanuit de markt. En daar gaat het in de marketing nou om. Producten zijn immers niets, klanten zijn alles. Als organisatie zal je er zorg voor moeten dragen dat het product dat je aanbiedt een bepaalde behoefte bevredigt, dat de klant een bepaalde oplossing voor zijn probleem wordt aangedragen. De weg naar deze marketingoriëntatie loopt via de productie-oriëntatie (alles wat je kunt produceren wordt afgenomen), de productoriëntatie (een goed product verkoopt zichzelf) en de verkooporiëntatie (producten worden verkocht en niet gekocht).

Tot lang na de Tweede Wereldoorlog konden bedrijven alles produceren wat ze maar wilden, het werd toch wel afgenomen. Iedereen kon immers alles gebruiken, omdat er bijna overal wel gebrek aan was. Kenmerkend voor deze situatie is ook de introductie van de eerste auto die Ford produceerde; de klant had de keuze uit elke willekeurige kleur zolang het maar zwart was. In feite bestond de keuze van de klant uit het wel of geen auto aanschaffen. Later kregen bedrijven in de gaten dat er meer nodig was dan alleen maar een product voor het verkrijgen van een voorkeurspositie bij de consument. Een logisch gevolg van het feit dat er steeds meer aanbieders met hetzelfde op de markt kwamen. Om zichzelf te onderscheiden van de concurrentie werd er daarom een betere kwaliteit product aangeboden onder het motto: 'een goed product verkoopt zichzelf'. Bedrijven zijn goed in het imiteren van elkaars sterke kanten dus al ras konden vele bedrijven producten maken van een goede kwaliteit. En wat er gebeurde na een tijdje was dat kwalitatief goede producten zichzelf niet meer verkochten. Kwaliteit was geen basis meer om jezelf van de concurrentie te onderscheiden. Toen kwam het besef dat als een goed product zichzelf niet meer verkoopt, we gewoon iets meer de nadruk op de verkoop moeten leggen. Immers, producten worden niet gekocht maar verkocht. Het tijdperk van de rasverkoper, met stalen neuzen in de schoenen, een uitermate snel kapsel, witte tanden en de vlotte babbel brak aan. Omzetten stegen, alleen had de consument na verloop van tijd zoiets van wat moet ik eigenlijk met al die producten die me worden 'aangesmeerd'. Bijkomstig effect van deze verkooporiëntatie was dat consumenten zich in toenemende mate bekocht voelden en dus nooit meer iets bij de betreffende leverancier wensten te kopen. De verkopers hadden namelijk geen gevoel voor wat die consument nu echt wilde. Om zich blijvend van de concurrentie te onderscheiden gingen bedrijven toen op zoek naar die behoeften en wensen van de consument en gingen datgene ook inderdaad aanbieden. En dan zijn we aanbeland bij de huidige fase van de marketingoriëntatie; de klant centraal stellen bij het handelen en op deze manier een onderscheidende positie ten opzichte van de concurrentie innemen. Rest eigenlijk alleen nog maar de vraag: "wat volgt?".

Om nu toch een definitie te geven van marketing geef ik de volgende: de activiteiten die gericht zijn op het tot stand brengen van een ruilproces waarbij vraag en aanbod op elkaar worden afgestemd. Maar nogmaals, er zijn nog honderd andere definities.

3.1. Marketing en concurrentie

Wanneer ruilprocessen middels het vraag- en aanbodspel tot stand komen heeft de afnemer of consument de vrije keus om het voor hem of haar beste (goedkoopste) aanbod uit te zoeken. Dit brengt ons meteen bij de grondslag of de essentie van marketing: het hebben en houden van tevreden terugkerende (betalende) klanten. We zullen dus iets moeten aanbieden wat niet alleen een bepaalde behoefte van de klant bevredigt, maar de klant moet ons ook nog zien als beste leverancier naast al die andere aanbieders, onze concurrenten. Er is in de marketing dus in feite een bepaald competitie-element aanwezig waarbij de strijd gaat om de gunst van de klant. Als marktpartij heb je dan enerzijds te maken met klanten en anderzijds met concurrenten. We zullen een dusdanige positie op de markt moeten innemen waarmee we onszelf positief onderscheiden van de concurrentie en waarbij we aan de behoeften van onze klanten tegemoet komen. Dat is de afstemming tussen de zogenaamde 3 C's: Company, Customers en Competition. En daar draait het nou om in de marketing.

Nogmaals, de klant koopt niet iets van jou, omdat je prijs goed is. De klant koopt iets van jou, omdat hij jou als beste leverancier ziet, op basis van een stuk vertrouwen, omdat jij net even wat meer voor hem doet, omdat je hem accepteert zoals hij is (je streelt z'n ego, geeft hem erkenning et cetera), omdat hij niet om jou heen kan, omdat z'n collega jou heeft aangewezen, omdat jij precies weet wat hij wil en wat hij wil is niet een product, maar een behoefte bevredigd zien, omdat jij net even anders bent dan al die anderen.

3.2. De marketingomgeving van de facilitaire organisatie

De marketingomgeving van een facilitaire organisatie is een helder afgebakende markt. We hebben hier namelijk te maken met een interne afdeling die of bedrijfsonderdeel dat haar producten en diensten afzet op een markt die we de onderneming kunnen noemen. De klanten zijn al die mensen, in en om de organisatiehuisvesting, die een beroep doen op de facilitaire organisatie. De concurrentie van de facilitaire organisatie bestaat vervolgens uit allerlei marktpartijen die hun facilitaire dienstverlening ook (kunnen) aanbieden aan de onderneming. Dit kunnen zijn cateringbedrijven, schoonmaakorganisaties, hoveniersbedrijven, beveiligingsbedrijven enzovoorts. Wanneer we de eerder genoemde 3 C's van de facilitaire organisatie gaan invullen ontstaat het volgende beeld:

Company

De facilitaire organisatie die hoofdzakelijk intern opereert en daarbij niet (financieel) autonoom is.

Customers

Alle pandbewoners, ofwel iedereen die zich in en om de huisvesting begeeft en daarbij direct of indirect een beroep doet op de facilitaire organisatie.

Competition

Externe, vaak gespecialiseerde aanbieders van facilitaire diensten die werken voor verschillende organisaties.

Let wel dat het hier gaat om de marketingomgeving in enge zin, de zogenaamde micro-omgeving. Daarbuiten spelen nog allerlei factoren een rol van betekenis op het ruilproces. Dit noemen we de macro-omgeving, hetgeen bestaat uit factoren waar we geen tot weinig invloed op uit kunnen oefenen. Zoals daar zijn demografische factoren (bevolkingsomvang en samenstelling), economische factoren (inkomen, koopkracht, prijsniveau), ecologische factoren (energiekosten, milieu-aspecten), technologische factoren (mate van technologische veranderingen), politiek-wettelijke factoren en sociaal-culturele factoren (waarden en normen, subculturen, religie).

3.3. Marketing en organisatieniveau

Marketing kent een drietal organisatieniveaus waarop het wordt beoefend. We onderscheiden marketing op corporate niveau, op business unit niveau en op product/markt-niveau. Corporate marketing houdt zich bezig met het uitstippelen van een koers om een winstgevende toekomst voor het gehele concern, de gehele onderneming, te garanderen. Voor non-profit organisaties geldt uiteraard niet de winstgevendheid, maar het garanderen van een kostendekkend geheel. Hier worden keuzes gemaakt als met welke (commerciële) activiteiten de organisatie zich bezig moet houden, hoe de stroom van financiën en andere hulpbronnen van en naar de diverse activiteiten moet verlopen en wat de relatie met welke sleutelgroepen in de omgeving moet zijn. Het tweede niveau is dat van de business unit, waarop de facilitaire organisatie zich ook bevindt. We spreken dan over strategische marketing waarmee we ons bezig houden met de afstemming van het bedrijf(sonderdeel), de business unit, met de klanten en de concurrentie. Op dit niveau wordt de marketingstrategie ontwikkeld en worden keuzes gemaakt als waar je gaat concurreren (marktdefinitie), hoe je gaat concurreren en wanneer je gaat concurreren. Welke posities op welke markten met behulp van welke middelen willen we op welke termijn innemen? Op product/markt-niveau is er sprake van marketing management en worden marketingplannen geformuleerd en geïmplementeerd die de marketingstrategie ondersteunen. Hier wordt antwoord gegeven op de vraag wat moet worden gedaan om de beoogde posities te bereiken. Marketing management binnen een facilitaire organisatie behandelt de verschillende producten en diensten die worden aangeboden aan de klant.

3.4. Specifieke karakter van marketing van diensten

Bij de marketing van diensten in z'n algemeenheid hebben we rekening te houden met drie specifieke karakteristieken van diensten:

- Diensten zijn ontastbaar (immaterieel).
- Er is doorgaans rechtstreeks contact tussen aanbieder en afnemer.
- De afnemer is medeproducent (dat willen zeggen is betrokken bij het productieproces van de dienst en consumeert tegelijkertijd).

Dat diensten ontastbaar zijn houdt in dat je ze niet op voorraad kunt leggen, laat staan dat je ze uit voorraad kunt leveren. Diensten zijn vergankelijk, ofwel onbenutte capaciteit is voor altijd verloren en drukt dus zwaar op de kosten. Omdat diensten immaterieel zijn worstelt de klant met een handicap bij de aankoop van diensten: hij kan de kwaliteit van de aankoop niet van te voren beoordelen. Een tussenliggende variabele om de (verwachte) kwaliteit van de dienst te beoordelen gebeurt dan op basis van de atmosfeer, de omgeving, de ambiance, referenties van andere klanten en het personeel waar hij contact mee heeft. Met deze variabelen zal de dienstenmarketer dus rekening moeten houden om de diensten op een succesvolle wijze aan te bieden aan de klanten.

Daar waar een soepfabricant zijn blikken via de supermarkt aanbiedt aan de klant en dus niet rechtstreeks met deze klant in contact staat, heeft een dienstverlenende organisatie in de meeste gevallen wel direct contact met haar klanten. Ten eerste al bij het kenbaar maken dat er behoefte is aan een bepaalde dienst. Dit rechtstreekse contact tussen de dienstverlener en de klant heeft verstrekkende gevolgen voor het personeel dat wordt ingezet. Het personeel dat in contact met de klant staat is een kritische succesfactor in de gehele beleving van de dienst die wordt geleverd. Producten worden gemaakt, diensten worden waargemaakt. En omdat het eigen contactpersoneel zo'n cruciale factor is in de kwaliteit van de dienstverlening, is het een heel belangrijk instrument voor de dienstenmarketer.

Bij diensten is de klant tevens participant in het productieproces. Worden de blikken soep in de fabriek geproduceerd om vervolgens via allerlei kanalen uiteindelijk door de consument te worden geconsumeerd, diensten worden door de leverancier en klant tezamen geproduceerd en tegelijkertijd door deze klant geconsumeerd. Dit heeft als gevolg dat de kwaliteit van de dienst mede wordt bepaald door deze klant. Je bent als dienstverlener afhankelijk van het productieve gedrag van de klant. Niet alleen de prestatie van het eigen personeel is bepalend voor het succes, ook de prestatie van de klant dus. Dit geeft weliswaar een gedeelde verantwoordelijkheid, echter de dienstverlener is toch degene die uiteindelijk wordt afgerekend.

3.5. De ware marketer

Marketing wordt als wetenschap onderwezen en het toepassen van die kennis in de dagelijkse praktijk wordt vaak gezien als een techniek of kunstje die je wel of niet beheerst. Echter, het goed beheersen en toepassen van marketingtechnieken heeft niet alleen maar te maken met het begrijpen van de theorie van het vak. Marketing is veel meer dan een wetenschap of activiteit. Marketing is een levenshouding, een filosofie. Wil je succesvol met marketing bezig zijn zal je over een goed ontwikkelde tastzin of intuïtie moeten beschikken en een ongebreidelde interesse aan de dag moeten leggen voor mensen en organisaties, hun behoeften en beweegredenen en omgevingsontwikkelingen feilloos op relevantie en waarde weten in te schatten. Niet het laten draaien van de machines is het eerste belang van de onderneming. Wanneer de productie de hoogste prioriteit heeft in een organisatie, worden er wellicht goederen geproduceerd waar niemand op zit te wachten. Niet het (technisch) vervolmaken van het product moet voorop staan. Wanneer wordt getracht een product technisch zo vernuftig mogelijk te maken, wordt er wellicht een heleboel tijd en geld gestoken in iets waar de klant al lang tevreden over was of het uiteindelijke perfecte product komt veel te laat, waardoor afnemers niet meer geïnteresseerd zijn. En niet de eenmalige transactie moet voorop staan. Het focussen op de verkoop, op die ene transactie, op het jawoord van de klant tegen het voorstel, zal wellicht resulteren in een klant die iets heeft gekocht maar eigenlijk niet weet wat of waarom, met als gevolg dat het bij deze eenmalige transactie blijft. Nee, het tegemoetkomen aan de behoefte van de klant, daar draait het om.

Daarom vereist marketing een klantgerichte instelling. En dat is niet iets dat je tussen negen en vijf wel hebt en daar buiten niet. Een klantgerichte instelling is een levenshouding, een mentaliteit die je 24 uur per dag met je meedraagt. Een klantgerichte instelling zit tussen de oren en houdt dus nooit op. Ondernemingen verkopen geen producten, organisaties verlenen geen diensten, nee, ze vervullen een bepaalde wens, ze bevredigen een bepaalde behoefte van een klant. Als de behoefte er niet is en het product wel, wat zal dan de omzet aan het eind van het jaar zijn? En hoe zit het dan met de uitspraak dat aanbod vraag creëert? Behoeften kunnen latent aanwezig zijn, ofwel ze sluimeren en moeten aangewakkerd worden. Dat wordt er bedoeld met aanbod creëert vraag.

Maakt dit dan de marketingafdeling de meeste belangrijke binnen de onderneming? Nee. Sterker nog, er zijn genoeg florerende bedrijven waar niet specifiek iemand zich met marketing bezighoudt. Maar dan is er meestal de directeur of de oprichter van de zaak die weet hoe te handelen in welke situatie. Iemand die z'n markt kent en de concurrentie op basis van z'n gevoel telkens een stap voor is. Vergelijk in die zin het verhaal over het ontstaan van marketing. De handelaren van weleer hadden nog nooit gehoord van de 4 of 5 P's of de 3 C's. Het stond nergens geschreven, alleen iedere koopman paste het toe. Het was de koopmansgeest die hen daartoe aanzette. En die koopmansgeest zei hun dat de prijs te hoog of te laag zat, of dat het marktplein verruild moest worden voor de winkel, omdat dan de voordelen van de koopwaar ten opzichte van de concurrentie nog beter tot uiting kon worden gebracht. De kooplieden van weleer hadden niet een marktonderzoekbureau nodig om hen te vertellen wat de consument verlangde, ze wisten dat gewoon omdat ze elke dag met de klant in contact stonden. En als je niet sterk genoeg was om te overleven ging je of samenwerken met je concurrent of je stapte uit de business en probeerde wellicht je geluk met een ander handeltje. Bij de ware marketer stroomt dit koopmansbloed door de aderen en in deze tijd kan hij daarnaast nog beschikken over allerlei hulpmiddelen die z'n gevoel kunnen bevestigen, daar waar dat nodig is. De marktonderzoeker is geen marketer, hij signaleert en mogelijk analyseert alleen maar. De financiële man of planner is geen marketer omdat hij zich bezighoudt met cijfers uit het verleden en over de toekomst graag zekerheid wil hebben. De marketer heeft geleerd van het verleden, doet in het heden en weet wat hem morgen te doen staat: "The past is my work, the present is what I am and the future I work on".

4 Het ontwikkelen van een marketingstrategie

Het bestaansrecht van de facilitaire organisatie hangt steeds nauwer samen met de mate waarin zij het marketingconcept hanteert. Dit leidt namelijk niet alleen tot het hebben en houden van tevreden terugkerende (betalende) klanten. Het leidt ook nog eens tot het concurrerend zijn met de andere (commerciële) aanbieders van facilitaire diensten. Het zogenaamde denken en handelen vanuit de markt dwingt de facility manager om met zijn of haar facilitaire organisatie de juiste positie in te nemen ten opzichte van de klanten en de concurrentie. Dat is wat in feite de marketingstrategie in essentie behandelt: de optimale afstemming tussen de drie C's Company, Customers en Competition. Met het ontwikkelen van een marketingstrategie staat de facility manger voor de uitdaging zijn organisatie positief te onderscheiden (differentiëren) van haar concurrenten om klantenbehoeften beter te bevredigen, door gebruik te maken van haar relatief sterke kanten. De centrale vraag is dan niet langer: 'wat doen we?'. De strategie zal afgeleid moten worden van de vraag: 'waar zijn we goed in?'. Dat houdt in dat de facility manager naar binnen moet kijken (de eigen facilitaire organisatie), naar buiten kijken (de klanten, de concurrenten, de leveranciers en de macro-omgeving) en de juiste afstemming moet zien te vinden.

4.1. De externe analyse

De 'branche' waarin de facilitaire organisatie opereert is niet een statisch geheel, maar voortdurend aan verandering onderhevig. Behoeften van klanten variëren in de tijd, het aantal of de samenstelling van de klanten verandert, de concurrentie neemt steeds meer toe en de externe omgeving van de facilitaire organisatie verandert voortdurend (de sociale, economische, politieke en technologische omgeving). Wanneer de facilitaire organisatie niet mee verandert met haar omgeving zal dat uiteindelijk leiden tot afstemmingsproblemen; ofwel het bestaansrecht van de facilitaire organisatie komt in gevaar. Voor de ontwikkeling van een succesvolle marketingstrategie is het verkrijgen van inzicht in deze dynamiek daarom essentieel, alsmede de relevante strategische implicaties ervan op de bedrijfstak en op de organisatie zelf. Daarnaast is begrip van de kritische succesfactoren, wat onderscheidt de winnaars van de verliezers, en de toekomstige succesfactoren van belang. Dit is het aandachtsgebied van de externe analyse wat uiteindelijk resulteert in een opsomming van de kansen en bedreigingen.

4.1.1. De taakomgeving van de facilitaire organisatie

Om snel een indruk te krijgen van de taakomgeving en positie van de facilitaire organisatie binnen het bedrijf en de verschillende krachten die spelen in het spanningsveld van de facilitaire dienstverlening hierbinnen kan gebruik worden gemaakt van het facility management-kruis. Het *primaire proces* en het *management* zijn de twee krachten die voorwaarde scheppend zijn voor de facilitaire dienstverlening. Hierbij oefent het management z'n invloed uit op het beleid dat de facilitaire organisatie kan uitstippelen en de hoeveelheid geld die ter beschikking wordt gesteld. En het primaire proces geeft aan waarvoor de onderneming op zich destijds in het leven is geroepen en waaraan de facilitaire organisatie ondersteunend is. De twee krachten die de uitvoering van de facilitaire dienstverlening bepalen zijn vervolgens de *klanten* en de verschillende *leveranciers* van facilitaire diensten. Een goed begrip van deze vier krachten is essentieel om te weten te komen tot wat de facilitaire organisatie strategisch in staat is. Onderstaand volgt een korte beschrijving van de vragen die bij de analyse van de taakomgeving gesteld kunnen worden.

- **Primaire proces**
  Wat voor soort bedrijf is het? Wat voor product(en) brengt het primaire proces voort? Wie zijn de afnemers van het bedrijf? Welke omgevings-variabelen zijn van invloed op de continuïteit van het primaire proces? Met name hoe de werkzaamheden in het bedrijf worden uitgevoerd is van belang, ofwel wie of wat levert de productiviteit binnen het bedrijf? Vindt er hoofdzakelijk *machine-arbeid* (gerobotiseerd magazijn, geauto-matiseerde productie-omgevingen), *handenarbeid* (bouw- en werkplaatsen, behandelpraktijken) of *hersenarbeid* (consultancy-organisaties, onder-zoekbureaus, opleidingsinstituten) plaats? Naarmate de werkzaamheden meer met de hersenen worden uitgevoerd neemt de behoefte en ver-scheidenheid aan facilitaire ondersteuning toe. Daar waar in een gerobo-tiseerd magazijn een constante temperatuur en luchtvochtigheid belang-rijk zijn, zo zal in een consultancy-organisatie een schone en represen-tatieve werkplek, een behaaglijke temperatuur, voldoende lichtopbrengst, goed geoutilleerde vergaderkamers, een goede maaltijdvoorziening et cetera van belang zijn.

- **Management**
  Wie zijn nou uiteindelijk de personen die beslissen over het 'lot' van de facilitaire organisatie? Wat is hun visie of koers met betrekking tot facilitaire dienstverlening? Wat vinden zij belangrijk voor de organisatie en haar werknemers? Is dat een prettige werksfeer en goede werkomstandigheden of is dat puur en alleen maar kostenreductie? Ofwel, wat is de rendements-verwachting ten aanzien van het budget dat ze ter beschikking stellen? Wat is hun opdracht of missie ten aanzien van de totale onderneming? Staan ze

onder druk ten aanzien van het halen van bepaalde doelen en zo ja wat zijn die doelen dan en wie heeft ze geformuleerd? Allemaal vragen die beantwoord moeten worden om goed voorbereid de onderhandelingen met deze partij aan te gaan en met succes af te kunnen ronden. Naast algemene informatie over het beleid van de onderneming en de visie ten aanzien van facilitaire dienstverlening (eis dat deze visie wordt uitgesproken!) kan het ook geen kwaad om een persoonlijke analyse van het management te maken. Wat voor mensen zijn het? Wat is hun achtergrond? Wat hebben ze hiervoor van werk gedaan en bij wie? Hoe staan ze bekend in de branche en waar staan ze voor? Dit soort informatie zegt vaak al genoeg over de beslissingen die ze nemen en de koers die ze varen.

- **Klanten**
  Voor het duiden van de taakomgeving is het belangrijk om te weten wie nou de verschillende afnemers zijn. Hoeveel zijn het er? Zijn er bepaalde segmenten in te onderscheiden zoals administratief personeel, productie-personeel, ambulant personeel en bezoekers? Zijn er specifieke behoeften te onderscheiden en zijn er bepaalde afspraken met deze klanten gemaakt? Van de niet vaste pandgebruikers (externe klanten en gasten) is het belangrijk te weten of deze klanten vaak, zelden of nooit met de huisvesting van het bedrijf in aanraking komen. Komt er veel bezoek of weinig bezoek? Wie komt er dan op bezoek? Zijn het alleen maar vertegenwoordigers (die we bij wijze van spreken kunnen ontvangen op het eigen kantoor) of zijn het hele delegaties van hooggeplaatsten die soms dagen achtereen verblijven? Naast klanten kunnen ook nog allerlei publieksgroepen worden onderscheiden, zoals overheid, de media en omwonenden van het bedrijf. Al zijn het niet zozeer klanten van de facilitaire organisatie, toch kan zij ermee in aanraking komen.

- **Leveranciers**
  De gehele facilitaire dienstverlening wordt uitgevoerd door één of meerdere leveranciers. Dit kunnen eigen mensen zijn maar ook externe partijen die hun diensten verlenen. Het gaat er om om per facilitaire prestatie inzichtelijk te hebben door wie het wordt geleverd en wie er intern voor verantwoordelijk is. Inzicht in de onderlinge samenhang en relaties van al deze dienstenleveranciers en facilitaire disciplines is belangrijk alsmede hoe de dienstverlening tot stand komt (geïnitieerd door de klant, volgens een contract of door de eigen mensen). Hiermee wordt duidelijk wat de invloed is of kan zijn van bepaalde beslissingen.

Wanneer het facility management-kruis in z'n geheel is ingevuld ontstaat er een goed overall beeld van wat er op facilitair gebied werkelijk aan de hand is binnen de onderneming of instelling. Vanuit deze eerste beeldvorming kunnen verdere stappen in de externe analyse beter worden geplaatst en ook beter worden vertaald naar de eigen situatie.

4.1.2. De marktdefinitie van de facilitaire organisatie

Het in kaart brengen van de taakomgeving door middel van het facility management-kruis levert een goed beeld op van de ruwe ins en outs van de marketingomgeving van de facilitaire organisatie. De volgende belangrijke stap is het aangeven of definiëren van de markt waarop de facilitaire organisatie zich begeeft. Dat wil zeggen met wie ze nou concurreert. Als we niet weten tegen wie we het opnemen, hoe kunnen we onszelf dan überhaupt positief onderscheiden ten opzichte van de concurrentie. We hebben het dan over de definitie van de functionele plaats van de facilitaire organisatie in haar omgeving, de marktdefinitie of het business domain. Het is het antwoord dat we geven op de vraag: 'what business are we in?'. Op het eerste gezicht lijkt dit antwoord nogal voor de hand te liggen. Immers, de facilitaire organisatie verleent facilitaire diensten ten behoeve van de pandbewoners. Maar juist het besef dat de facility manager heeft van de identiteit van z'n eigen organisatie en de plaats die deze organisatie inneemt in de ruimere omgeving is van grote invloed op de continuïteit van zijn organisatie. Een voorbeeld over de problemen waar Amerikaanse spoorwegondernemingen mee te maken hadden in de zestiger jaren zal dit nog eens duidelijk maken (in Van Min, 1982).

"De spoorwegondernemingen stopten niet met groeien omdat de vraag naar personen- en vrachtvervoer daalde. Die bleef groeien. De reden dat spoorwegondernemingen thans in de problemen zitten is niet omdat anderen in die behoeften voorzagen (auto's, vrachtwagens, vliegtuigen en zelfs telefonie), maar omdat die behoefte niet werd ingevuld door de spoorwegondernemingen zelf. Ze hebben anderen hun klanten laten afpikken omdat ze van zichzelf aannamen dat ze in de spoorweg-business zaten, in plaats van in de transportsector. De reden dat ze hun markt fout definieerden was omdat ze spoorweggeoriënteerd waren in plaats van transportgeoriënteerd, ofwel ze waren productgeoriënteerd in plaats van marktgeoriënteerd."

De eerste stap richting de marktdefinitie is het bepalen van het abstractie-niveau voor het aangeven van de functionele plaats die de organisatie in haar omgeving inneemt. Dit is de marktdefinitie op basis van concurrentieniveau en deze kan op een viertal manieren worden aangegeven: naar productvorm (merk), naar productsoort, naar generieke behoefte die wordt vervuld en naar budget.

- **Concurrentie naar productvorm**
  De productvorm die een facilitaire organisatie levert bestaat uit de verschillende facilitaire diensten op zich. Concurrenten die deze zelfde vorm van producten aanbieden zijn gespecialiseerde externe dienstenaanbieders. Voor zover je van bepaalde merken kunt spreken, concurreren al deze merken onderling met elkaar en met de facilitaire organisatie. Als we de productvorm schoonmaak onder de loep nemen, dan concurreert de facilitaire organisatie met merken of bedrijven als Asito, CSU, Gom, Hago, ISS, Rentokil et cetera.

- **Concurrentie naar productsoort**

  De productsoort van een facilitaire organisatie laat zich omschrijven als het beheren en uitvoeren van facilitaire taken binnen de onderneming. Alle (potentiële) leveranciers van facilitaire diensten binnen de onderneming zijn daarmee concurrenten naar productsoort. Denk hierbij aan catering-bedrijven, schoonmaakbedrijven, beveiligingsbedrijven, drukkerijen et cetera. Het gaat dan om bedrijven die specifiek mensen en middelen inzetten om taken gedaan te krijgen die in principe ook door de facilitaire organisatie zelf kunnen worden uitgevoerd. Het eigenaardige van facilitaire dienst-verlening is weer wel dat, als een bepaalde facilitaire taak eenmaal is uitbe-steed aan een externe dienstenleverancier, de facilitaire organisatie en deze externe leverancier gezamenlijk moeten zorg dragen voor de totale facilitaire dienstverlening. De concurrent van weleer wordt daarmee bondgenoot.

- **Concurrentie naar generieke behoefte**

  De generieke behoefte die de facilitaire organisatie vervult is de behoefte aan services, middelen en ruimten ter ondersteuning van het primaire proces van de onderneming. Bedrijven die (kantoor)ruimte inclusief aanverwante diensten aanbieden zijn in dit opzicht concurrenten van de facilitaire organisatie. Denk hierbij aan business centers, bedrijvencomplexen waar meerdere ondernemingen in gehuisvest zijn en waar de gehele facilitaire dienstverlening ter verantwoording van de verhuurder komt. Bepaalde fysieke producten zoals koffie-apparatuur en toegangscontrolesystemen vormen ook concurrenten, omdat daarmee in dezelfde generieke behoefte middels zelfbediening tegemoet wordt gekomen. Dan zijn er nog de facility brokers of main contractors die in feite een gehele facilitaire organisatie aanbieden en ieder specialisme op facilitair gebied integreren. De totale facilitaire dienstverlening wordt op deze wijze uitbesteed aan een derde partij. Wie deze partij bij de uitvoering van de dienstverlening inschakelt is niet meer de verantwoordelijkheid van de facility manager, maar die van de main contractor.

- **Concurrentie naar budget**

  Budget- of wensconcurrentie wordt zichtbaar gemaakt door de vraag te stellen waar de klant nog meer z'n geld aan uit kan geven voor het bevredigen van dezelfde soort behoefte of wens. De groep (betalende) afnemers van de facilitaire organisatie die zelf deze keuzevrijheid heeft wordt gevormd door het management ofwel de aandeelhouders van de facilitaire organisatie. Zij stelt de facilitaire organisatie een bepaald budget ter beschikking voor de levering van facilitaire diensten. Dit budget gaat ten koste van het geld dat andere afdelingen binnen dezelfde onderneming krijgen toegewezen bij het volbrengen van hun taak. De behoefte of wens van de aandeelhouders is bijvoorbeeld een positief algemeen bedrijfsresultaat. Dat kan op diverse manieren worden behaald. In die zin zijn andere organisatie-eenheden of afdelingen budgetconcurrenten. Bij de jaarlijkse begrotingsrondes komt dit weer naar voren.

Als we de verschillende concurrentieniveaus in kaart brengen zien we in één oogopslag hoe de taart verdeeld kan worden:

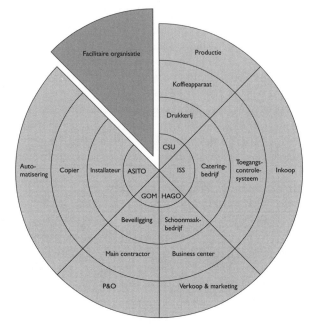

Figuur 4.1. De concurrentietaart.

Afhankelijk van de gekozen marktdefinitie kan vervolgens het specifieke werkterrein van de facilitaire organisatie worden aangegeven, het zogenaamde business domain. Doel hiervan is om inzicht te verkrijgen in de markt waarop men actief is, wat de eigen marktpositie is en om mogelijke ontwikkelrichtingen van die markt te ontdekken en in kaart te brengen.

Als we de markt definiëren naar productvorm is de facilitaire organisatie actief op bijvoorbeeld de markt voor het schoonhouden van de facilities. Met deze marktdefinitie is een cateringbedrijf geen directe concurrent van de facilitaire organisatie. Immers, catering is geen alternatief voor schoonmaak. Naar productsoort gedefinieerd is de facilitaire organisatie actief op de markt voor interne, ondersteunende dienstverlening ten behoeve van de continuïteit van het primaire proces. Naar generieke behoefte is de facilitaire organisatie actief op de markt voor services, middelen en ruimten ten behoeve van de bedrijfshuishouding. En tot slot als we de markt definiëren naar budget is de facilitaire organisatie actief op de 'beleggingsmarkt' voor het behalen en creëren van rendement op het geïnvesteerde vermogen van de gehele onderneming.

Om de positie of het specifieke werkterrein van de facilitaire organisatie in kaart te brengen kan gebruik worden gemaakt van het model van Abell (1979). Hiermee wordt in een driedimensionale matrix inzichtelijk gemaakt welke verschillende doelmarkten er zijn en in welke segmenten van de markt de facilitaire organisatie actief is. De drie assen geven dan aan:

- Welke afnemersgroepen er worden bediend;
- Welke afnemersbehoeften er worden ingevuld;
- Met welke technologie dat gebeurt.

- **Afnemersgroepen**
  Een opdeling van de diverse klantengroepen die worden bediend is mogelijk op basis van hun bereidheid tot mee-productie van de dienst. Ofwel, wat hebben de klanten er voor over om van de geboden faciliteiten gebruik te maken. We kunnen dan onderscheid maken tussen enerzijds *vaste pand-bewoners*, met een hoge mate van bereidheid tot meeproductie en anderzijds *incidentele pandbewoners c.q. externe klanten*, met een lage bereidheid tot meeproductie. Onder een bepaalde voorwaarde is het legitiem om de directie of ondernemingsleiding als aparte afnemersgroep te beschouwen. Hun plaats op de as zou dan tussen die van de pandbewoners en de externe klanten in komen te liggen. Dit is legitiem omdat hun behoeften in de rol van aandeelhouder van de facilitaire organisatie anders zijn dan die van vaste pandbewoners, terwijl het wel gewoon pandbewoners zijn.

  Een alternatieve doelgroep voor de facilitaire organisatie kan bestaan uit externe bedrijven en instellingen. Dat wil zeggen, de facilitaire organisatie biedt haar diensten aan op de derden markt. Dit is een mogelijke groeirichting voor een verzelfstandigd facilitair bedrijf. Dit gaat verder dan externe klanten, omdat dit individuen zijn die incidenteel het eigen bedrijf bezoeken en gebruik maken van de geboden faciliteiten. Als derde afnemers-groep kan daarom *externe bedrijven en instellingen* worden opgenomen. De bereidheid tot mee-productie als segmentatiecriterium wordt dan verlaten, waarvoor de relatie tot de facilitaire organisatie in de plaats komt.

- **Afnemersbehoeften**
  Als we de productvorm catering bezien vervult de facilitaire organisatie voor haar klanten primair de functie van maaltijdenverstrekker. De verschillende behoeften waarin dan tegemoet wordt gekomen is bijvoorbeeld *ontbijt*, *lunch* en *diner* of *warme* en *koude maaltijd* en *warme* en *koude dranken*. Op productsoortniveau kunnen de behoeften zijn *eten en drinken, veiligheid, reiniging* et cetera. Concurrerend op het niveau van de generieke behoefte heeft de afnemer behoefte aan een *werkplek, aanvullende services* en *persoonlijke ontplooiingsmogelijkheden*. Op budgetniveau zijn de behoeften van de geldverstrekkers: rendement in de zin van *taakondersteunende diensten* ten behoeve van de continuïteit van het primaire proces (volume gericht), *kwaliteit;* een bepaalde professionaliteit, vriendelijkheid, een flexibele instelling, betrouwbaarheid en individualiteit (prestatiegericht) en *efficiency;* de facilitaire organisatie moet haar werk op een dusdanige manier doen dat de toegevoegde waarde en het gemak dat ze biedt aan de klant opwegen tegen de kosten van de dienstverlening. De facilitaire organisatie is dan hoofdzakelijk resultaatgericht bezig.

- **Technologieën**
  Om aan te geven welke alternatieve technologieën er zijn om de behoefte van de klant in te vullen kunnen we de wijze waarop de prestatie wordt geleverd

hanteren: *zelfbediening, standaard,* of *maatwerk.*

Bovengenoemde indelingen van de assen zijn slechts voorbeelden. Het is belangrijk dat wanneer voor de eigen organisatie een dergelijk model wordt opgesteld, men zichzelf terug vindt bij de gekozen marktdefinitie. Er moet een werkbaar model ontstaan.

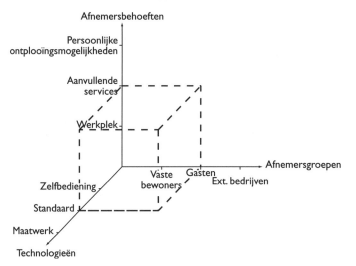

Figuur 4.2. De marktdefinitie van de facilitaire organisatie.

4.1.3. De afnemersanalyse

Nadat in beeld is gebracht welk segment of meerdere segmenten door de facilitaire organisatie worden bediend, kan er een grondige analyse van de verschillende afnemers in deze segmenten worden uitgevoerd. Inzicht in het gedrag, omvang en ontwikkelingen van deze afnemers is nodig om de juiste afstemming op de behoeften van de klant te kunnen behouden.

Om achter de specifieke behoeften en wensen van de (potentiële) afnemers te komen zal er (intern) *marktonderzoek* verricht moeten worden. Hiervoor bestaan tal van methoden, die zowel vóór het samenstellen van het assortiment kunnen worden toegepast alsmede nadien en ter evaluatie van de geleverde prestaties. Mogelijkheden hiervoor zijn schriftelijke enquêtes, de ideeënbus, evaluatieformulieren, persoonlijke interviews, de 'wandelgangen', verzamelde gegevens bij de service desk evalueren, analyses van de afname et cetera.

De behoeften en wensen alsmede het consumentengedrag zijn sterk afhankelijk van de cultuur van de organisatie. Het type bedrijf en het soort primaire proces dat wordt voortgebracht zijn hierop van invloed. De consument in een pure kantooromgeving stelt andere eisen en wensen aan het facilitaire assortiment dan bijvoorbeeld personeel in pure productie-omgevingen. Zo is de branche waarin het bedrijf actief eveneens van invloed op de consument. In organisaties waar de werknemers gewend zijn aan strenge discipline, zoals bijvoorbeeld militaire organisaties, heerst nu eenmaal een andere cultuur dan in een organisatie van sociaal-maatschappelijk werkers.

Het gedrag dat afnemers vertonen is steeds aan verandering onderhevig. In zijn boek 'Dienstenmarketing' heeft Heuvel (1993) het over de 'vernieuwde service-consument'. Een aantal kenmerken die hij noemt van het afnemersgedrag bij diensten in z'n algemeenheid zijn:

- Algemene tendens is dat de consument steeds kritischer en sceptischer is ingesteld.
- De klant heeft een veel kleinere tolerantiegrens voor zowel kwantitatieve als kwalitatieve servicefouten dan voorheen.
- De klant is daardoor erg kwaliteitsbewust geworden.

Andere belangrijke ontwikkelingen in afnemersgedrag die ingrijpen op de facilitaire organisatie zijn de *individualisering*, de *toenemende belangstelling voor gezondheid en milieu* en *de toenemende aandacht voor immateriële waarden als plezier in het werk en vriendelijkheid*.

De veranderende houding van de afnemer van facilitaire diensten wordt mede in de hand gewerkt doordat de afgenomen diensten steeds meer direct ten laste van het budget van de afdeling worden gebracht. De consument moet betalen voor zijn diensten en gaat dus vergelijkingen maken met het aanbod op de 'derden-markt'. Zowel prijs als kwaliteit van het interne aanbod aan facilitaire diensten zal daarom minstens marktconform moeten zijn, wil het de vergelijking met externe aanbieders kunnen doorstaan. De pandgebruiker wenst zich daarnaast eigenlijk niet bezig te houden met het regelen van allerlei facilitaire diensten voor zichzelf. Het one stop shopping-concept zoals we dat al kenden vanuit de detailhandel groeit dan ook in populariteit bij de pandgebruikers. De klant wil niet bij verschillende 'balies' zijn boodschappen doen, maar gewoon alles regelen bij één centraal tussen-station. Hier wordt in een speciaal hoofdstuk nog uitgebreid op ingegaan.

Om de klant beter te leren begrijpen is dieper inzicht in zijn gedrag nodig. In de twee volgende onderdelen wordt uitgebreid ingegaan op het koop-gedrag van de pandbewoner en het klanttevredenheidsonderzoek. Beide zijn kwalitatieve analyses. Wat echter ook niet uit het oog mag worden gelaten is de kwantitatieve analyse van de afnemers. Deze geeft zicht op de omvang van de verschillende segmenten en de ontwikkeling hierin (is er een personeelsstop of wordt er sterk uitgebreid). Het aantal afnemers is immers van directe invloed op de omvang van de gehele facilitaire organisatie. Denk aan inzet van personeel, aantal vierkante meters huisvesting dat beheerd moet worden, aanslag op hoeveelheid faciliteiten en voorzieningen et cetera. Ontwikkelingen in de personeelsomvang als het gevolg van seizoens-invloeden, fusies, reorganisaties en wat niet meer zij kunnen ruim van te voren worden meegenomen in beslissingen omtrent de huisvesting en het aanbod van andere producten en diensten.

4.1.3.1. Koopgedrag of consumentengedrag

Consumentengedrag is het gedrag dat de consument vertoont bij het zoeken, kopen, gebruiken en evalueren van goederen en diensten. Consumenten-gedrag is zeer complex en wordt bepaald door een groot aantal factoren die we kunnen samenvatten onder de noemers culturele, sociale, persoonlijke en psychologische factoren. Dit zorgt ervoor dat iedere consument verschillend reageert op bepaalde prikkels van buitenaf en dat de consument niet (altijd) rationeel handelt, wat het begrijpen van deze consument nog moeilijker maakt. Toch is inzicht in consumentengedrag belangrijk. Het is belangrijk bij het ontwerpen van de marketingstrategie (denk aan het samenstellen en afstemmen van het facilitaire assortiment op de behoeften van de klant), bij het meten van resultaten van bepaalde acties en bij het segmenteren van de markt.

Met facilitaire dienstverlening is daarnaast nog iets eigenaardigs aan de hand. Namelijk iedereen heeft er wel een mening over omdat iedereen zelf ook een stuk facilitaire dienstverlening bedrijft, en wel in de eigen huis-houding. De klant heeft daarom de neiging om facilitaire dienstverlening te simplificeren: "iedereen kan het toch dus waarom doet die afdeling nou zo moeilijk". Inderdaad, iedereen kan wellicht een huishouding managen zolang het gaat om één gezin. Koken voor drie personen is niet zo moeilijk, koken voor twintig mensen wordt alweer een stuk lastiger, laat staan om dat te doen voor duizend mensen. Eén werkplek schoonhouden en voorzien van alle gemakken is niet zo moeilijk. Maar om hetzelfde te doen voor vijf-honderd werkplekken wordt alweer wat lastiger, om niet te zeggen dat het gewoonweg moeilijk is en absoluut gemanaged moet worden. Dat is een houding van de klant waarvan de facilitaire medewerkers goed van door-drongen moeten zijn en dus ook behoren te weten hoe ze daar op moeten reageren.

4.1.3.1.1. Culturele factoren

Cultuur wordt ook wel de persoonlijkheid van een samenleving genoemd. Alles wat mensen tot stand hebben gebracht, zowel materieel als immaterieel, en vervolgens overdragen aan anderen valt daaronder. Denk hierbij aan taal, kennis, wetten, eetgewoonten, kunst, technologie, werk-patronen et cetera. Onder culturele factoren die het consumentengedrag beïnvloeden behoren de cultuur, de subcultuur en de sociale klasse van de consument. Daar waar cultuur en subcultuur meer van immateriële aard zijn, is een sociale klasse een categorie personen die op basis van materiële kenmerken bij elkaar behoren. Ze hebben dezelfde rangorde in de samen-leving.

Facilitaire dienstverlening in het Middellandse Zee-gebied kent een andere invulling dan facilitaire dienstverlening in Nederland. Waarom? Omdat de mensen nu eenmaal anders zijn, ze hebben andere waarden en normen vanaf hun geboorte meegekregen. Het meest tastbare daarin is nog wel de eetgewoonten. Waar de Nederlander zonder veel moeite een broodtrommel mee naar het werk neemt, zal de Italiaan tussen de middag (let wel, dat is dan wel van twaalf tot vier) uitgebreid gaan dineren met pasta en wijn. Waar cultuur de landgrenzen overschrijdt zien we een zelfde polarisatie binnen de landgrenzen. De noorderling is een ander persoon dan iemand uit het zuiden. Ga maar na: de stugge Drent, de zuinige Zeeuw, de joviale Brabander en de bourgondische Limburger. Maar zelfs bepaalde steden of regio's in Nederland hebben zo hun eigen karakter: de zwarte kousengebieden, Amsterdammers met hun hart op de tong en Rotterdammers van geen woorden maar daden. Onderscheid is ook zeer evident daar waar het gaat om de sociale klasse waartoe de consument behoort. Hoe hoger iemand op de sociale ladder is geboren of is gestegen in zijn leven, hoe meer die persoon de gehele facilitaire dienstverlening afstandelijker zal bejegenen en als meer vanzelfsprekend zal beschouwen. Ze zijn nu eenmaal gewend minder vaak zelf de butler te spelen en meer gebruik van de butler te maken. Sociale klasse heeft ook te maken met rechten en plichten en macht en invloed. Binnen de facilitaire dienstverlening is het nog maar de vraag of dat onderscheid gemaakt moet of mag worden. "De directeur heeft al zo z'n privileges, maar moet dan ook nog alles en iedereen wijken als hij zonodig op het laatste moment een vergaderzaal nodig heeft." Deze uitspraak zal bekend zijn bij iedereen die zich met facilitaire dienstverlening bezighoudt, de vraag is alleen of dit uitzondering of regel is. Als het namelijk regel is heeft dat zo z'n consequenties voor de andere pandbewoners. De afstand tot de directie wordt hiermee alleen maar vergroot.

4.1.3.1.2. Sociale factoren

Het gezin, de referentiegroep, opinieleiders, de rol die iemand in zijn directe omgeving vervult en de status die hij of zij daarbij geniet zijn allemaal sociale factoren die van invloed zijn op het gedrag van de consument. Mensen hebben altijd de neiging om iets van anderen in hun directe sociale omgeving eerder te accepteren dan van wild vreemden. Goed voorbeeld doet goed volgen zegt men dan wel. Ofwel, als je als facility manager het gedrag van een bepaalde afnemersgroep wilt beïnvloeden zal je op z'n minst moeten zorgen dat het hoofd van die afdeling, of wellicht de oudste of degene waar men het meeste ontzag voor heeft, als voorbeeldfunctie fungeert. Een kenmerk van alle vormen van sociale groepen is, dat er een leider is. Of dit nu formeel of informeel is, iedere groep heeft een leider en die leider heeft invloed op alle andere groepsleden. De consument vertoont daarom soms wel eens koopgedrag wat niet zozeer bij hem als individu past, maar wel volgens de verwachtingen van de groep is. Ze willen niet uit hun rol vallen of niet buiten de groep gesloten worden. Voor de facility manager is het belangrijk om te weten welke invloed welke personen op de anderen hebben. Zeer ongenuanceerd kan het namelijk zelfs zo zijn dat een hele afdeling tussen de middag graag kroketten wil eten, maar omdat de opinieleider besluit dat het ongezond is en het niet eet besluiten de anderen om het ook maar niet te nemen.

4.1.3.1.3. Persoonlijke factoren

Onder persoonlijke factoren vallen onder andere zaken als leeftijd, gezinsfase (getrouwd, alleenstaand, samenwonend met of zonder kinderen), opleiding, beroep en economische omstandigheden. Het opleidingsniveau en het soort werk dat iemand uitvoert zijn niet alleen van invloed op het salaris. Ook de beleving van de facilitaire dienstverlening zal volkomen anders zijn. Wanneer iemand voor het bedrijf facturabele uren maakt à raison van ƒ 280,00 per uur heeft een verstoring van de productiviteit meer impact dan van iemand die zich puur intern bezighoudt met het verwerken van de binnenkomende facturen. Ze zullen dan ook totaal anders reageren op een dergelijke verstoring. De 'vrije tijd' die iemand neemt of zichzelf gunt hangt ook sterk samen met zijn of haar persoonlijke omstandigheden.

4.1.3.1.4. Psychologische factoren

Psychologische factoren kunnen zelf weer worden opgedeeld in een vijftal elementen die gezamenlijk de psychologische factor bepalen. Het wordt namelijk gevormd door de motivatie, de persoonlijkheid, de perceptie, het leren en de attitude van de consument.

- Motivatie
  De motivatie is de beweeggrond van feitelijk gedrag dat bepaald is door iemands waarden. Zoals we al eerder tegenkwamen heeft cultuur daar iets mee van doen. Maar ook de behoefte aan macht, de sociale behoefte en de

doelen die iemand zichzelf stelt zijn daar van invloed op. Wat behoeften betreft heeft Maslov (1954) de zogenaamde behoeftenpiramide geïntroduceerd waarmee de motivatie verklaard kan worden. Deze verklaring houdt in dat een hoger gelegen behoefte in de piramide pas wordt nagestreefd of kan worden ingevuld op het moment dat de onderliggende behoeften zijn vervuld. De primaire behoeften van de mens zijn eten, drinken en sex. Vervolgens komt de behoefte aan veiligheid en zekerheid, dan volgen de sociale behoeften, zoals vriendschap, liefde en ergens bijhoren. Daarna komen ego-behoeften zoals waardering, prestige en succes en tot slot de behoefte aan zelf-actualisatie (creativiteit). Wat hier uit voortvloeit is dat de consument logischer wijs de restauratieve voorziening belangrijker vindt dan de groenvoorziening binnen het bedrijf. Om te scoren kan de facility manager daar z'n voordeel mee doen, want de consument zal facilitaire diensten die dicht bij de primaire behoeften liggen nu eenmaal anders beoordelen dan behoeften die meer met zelf-actualisatie te maken heeft. Kunst in bedrijf vindt de klant best aardig, maar als het eten niet goed is en de consument zit opgesloten in kleine kamers waar geen mogelijkheid is tot sociaal contact, zal deze zelfde klant absoluut ontevreden zijn. Bepaalde onderdelen van het facilitaire assortiment worden kritischer beoordeeld dan andere. Als het statisch archief een zooitje is zal afgezien van de archivaris geen pandbewoner daar 's nachts wakker van liggen. Maar als de koffie niet smaakt of sterk in prijs wordt verhoogd begint iedereen 's ochtends al met een chagrijnig gevoel aan het werk.

Figuur 4.3. De behoeftenpiramide van Maslov.

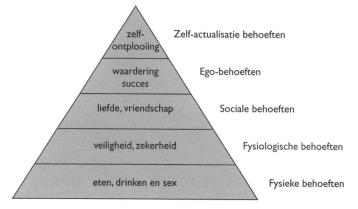

Motivatie ligt ook ten grondslag aan de productiviteit van facilitaire medewerkers. Als we de schoonmaak nemen dan ligt de productiviteit van een eigen schoonmaakdienst veel hoger dan die van inhuurkrachten. Soms tot wel tweemaal zo hoog. De betrokkenheid bij het werk houdt bij de doorgaans allochtone werknemers van schoonmaakbedrijven vaak op bij het in de gaten houden van de tijd, terwijl medewerkers van een eigen schoonmaakdienst veel bewuster en kritischer omgaan met hun tijd. Ze weten immers voor wie ze het doen. Dat heeft niets te maken met kunnen, maar alles met willen.

- Persoonlijkheid
  Persoonlijkheid bestaat uit de innerlijke psychische karakteristieken die bepalen hoe iemand op zijn omgeving reageert. Persoonlijkheid is het resultaat van aanleg en milieu-factoren. Hoewel de persoonlijkheid van iemand consistent en relatief stabiel is, kan het toch veranderen onder bepaalde omstandigheden. De opvatting van Sigmund Freud was dat de persoonlijkheid wordt gevormd door onbewuste behoeften en driften, terwijl de oude Grieken vier persoonlijkheden onderscheiden: de sanguinische mens, de flegmatische mens, de cholerische mens en de melancholische mens. Wat de theorie erachter ook mag beweren, de persoonlijkheid komt in ieder geval tot uiting in bijvoorbeeld merkenkeuze, het wel of niet openstaan voor iets nieuws, het sociaal en milieubewustzijn van de consument et cetera. Uitspraken als een stugge persoonlijkheid, een vrolijke persoonlijkheid, een moeilijke persoonlijkheid of zelfs een gespleten persoonlijkheid zeggen genoeg over de karakteristiek van een bepaald individu die we maar moeilijk kunnen beïnvloeden.

- Perceptie
  De perceptie, of waarnemen, is het proces waarbij het individu stimuli (signalen of prikkels van buitenaf) selecteert, organiseert en interpreteert tot een betekenisvol en samenhangend beeld van de wereld om zich heen. Waarnemen doen we met onze zintuigen en is altijd subjectief. In feite is datgene wat de consument waarneemt zijn of haar subjectieve werkelijkheid en dat kan dus volkomen anders zijn dan dat van een collega. Daarnaast is de perceptie ook altijd selectief. Ieder mens past een bepaalde bewuste en onbewuste selectie toe in het waarnemen. Als de facility manager weer eens roept tegen die 'vervelende' klant: "Jij ziet toch ook alleen maar datgene wat je wilt zien" heeft hij dus groot gelijk. De klant ziet inderdaad alleen maar datgene wat hij of zij belangrijk of betekenisvol vindt. Wat we niet willen zien filteren we er gewoon uit.

  De zintuiglijke gewaarwording, ook wel sensatie genoemd, is afhankelijk van veranderingen in de aangeboden stimuli en de sensitiviteit van de consument, ofwel zijn zintuiglijke gevoeligheid. Dit is nu ook precies de reden waarom we het met z'n allen nooit eens kunnen worden over de ideale werktemperatuur of de smaak van de koffie. Iedereen beleeft dat op z'n eigen manier. Zo heeft de ervaren temperatuur ook sterk te maken met de kleur van de omgeving. Uit onderzoeken is naar voren gekomen dat de mens de kleur blauw twee graden lager dan de omgevingstemperatuur ervaart en de kleur rood juist weer twee graden warmer dan de werkelijke temperatuur. Iets om over na te denken bij het uitzoeken van een nieuw behang. Hetzelfde geldt voor de koffie. Wanneer dag in dag uit hetzelfde merk en dezelfde dosering koffie wordt gebruikt, zal de consument op een gegeven moment zo aan de smaak gewend zijn dat het juist niet meer smaakt. "Afwisseling van spijs doet eten" heet het gezegde dan ook terecht.

  Het imago van de facilitaire organisatie heeft ook alles te maken met de perceptie van de consument. Het beeld dat deze consument heeft van de facilitaire organisatie is mede afhankelijk van allerlei indrukken die hij krijgt door de facilitaire medewerkers zelf, maar ook door de gesprekken die deze klant heeft met andere pandbewoners en bijvoorbeeld hoe het gebouw en de werkplek er op zichzelf uitzien. Denk aan de arts in witte doktersjas en de arts in spijkerbroek. Beide doen ze hetzelfde, maar we denken van niet. De witte doktersjas straalt meer autoriteit uit dan de spijkerbroek. Het kostenbewustzijn van de klant heeft ook te maken met perceptie. Als de facilitaire organisatie verzuimt om de kosten van de producten en diensten zichtbaar te maken, zal de klant blijven denken dat alles gratis is en te kust en te keur een beroep doen op de facilitaire organisatie. Als we door de supermarkt lopen weten we precies op basis van behoefte en budget een keuze te maken uit het geboden assortiment. Als de facility manager de klant kostenbewustzijn wil bijbrengen zal hij op z'n minst moeten beginnen met het hanteren van een menukaart voorzien van producten en prijzen. Tot die tijd zal hij nog steeds zelf 's avonds de lichten in het gebouw uit moeten doen.

- Leren
  Leren is het proces waarbij onder invloed van nieuwe kennis en ervaring een verandering van het gedrag optreedt. Met het de klant presenteren van de kosten van de afgenomen diensten probeert de facility manager in feite een gedragsverandering teweeg te brengen. Als de klant eerst niet kostenbewust was, wordt hij dat misschien wel als hij weet wat al die inspanning en producten daadwerkelijk kosten. Leergedrag is ook weer sterk afhankelijk van de motivatie van iemand. Zonder een veranderingsbehoefte zal de consument niet zo snel bereid zijn om te veranderen. En vaak heeft die bereidheid alles te maken met persoonlijk voordeel. Denk hierbij aan interne veranderingsprocessen bij bijvoorbeeld het installeren van een service desk. Als de klant van te voren niet duidelijk wordt uitgelegd wat de voordelen zijn van zo'n service desk, zal hij in voorkomende gevallen het informele circuit blijven hanteren voor het geleverd krijgen van producten en diensten. Veranderingen doorvoeren wordt moeilijker naarmate de oude vertrouwde situatie voor de klant persoonlijk naar tevredenheid functioneerde. Mensen hebben de neiging te reageren vanuit een 'voor wat hoort wat'-gedachte bij veranderingen. Wanneer ongemotiveerde medewerkers op een cursus klantgerichtheid worden gestuurd, zullen ze er hoogstwaarschijnlijk niets van opsteken. Houdt dezelfde medewerkers een salarisverhoging bij goed gevolg in het verschiet en ze zullen op hun minst zorgen dat het examen met succes wordt afgesloten. Hetzelfde geldt voor de klant van de facilitaire organisatie.

Als het zo is dat de pandbewoners facilitaire dienstverlening als vanzelfsprekend ervaren, zal de facility manager daar iets aan moeten veranderen. Door de facilitaire organisatie te promoten en de klant te wijzen op het belang en de complexiteit van diensten die er worden verleend zal de klant meer respect krijgen voor de facilitaire organisatie. Door dezelfde boodschap te herhalen wordt de response alleen maar bekrachtigd. Denk hierbij aan de hond van Pavlov die al bij het rinkelen van een belletje begon te kwijlen, nog voordat het eten voor z'n snuit stond. Gedrag kan aangeleerd worden en dus kunnen pandbewoners ook opgevoed worden.

- Attitude

  Attitude is de aangeleerde geneigdheid tot het algemeen positief of negatief reageren ten aanzien van een bepaald iets of iemand. De attitude laat zich ook wel omschrijven als de houding die de consument aanneemt bij de confrontatie met een bepaald iets (een reclameboodschap, een product of een dienst) of iemand (contactpersoneel). Deze attitude heeft een kennis-component, een emotiecomponent en een intentiecomponent. Als iemand net een nieuwe auto heeft gekocht van een bepaald merk, ziet hij vanaf dat ogenblik plotseling heel veel auto's van datzelfde merk op de weg rijden. In feite is deze consument bezig om achteraf zijn aankoop te rechtvaardigen voor hemzelf door te zeggen tegen zichzelf: "Zie je wel, heel veel mensen rijden deze auto, dus hij moet wel goed zijn". Aan de andere kant gaat hetzelfde verhaal op bij de aankoop of selectie van een product of dienst. Als een pandbewoner drie keer heeft gemeld dat het papier in de copier op is en er gebeurt maar steeds niets, dan zal er geen vierde keer komen. Als de klant niet weet wat de facilitaire dienst allemaal voor hem kan betekenen, gaat hij van alles verwachten. En deze verwachting vooraf is weer bepalend voor de kwaliteit van de prestatie achteraf. De attitude van de consument is aan-geleerd, waarbij de ervaring in het verleden, de invloed van vrienden, kennis-sen en mensen die men bewondert, reclameboodschappen en bepaalde persoonlijkheidskenmerken allemaal een rol spelen. Introverte mensen hebben nu eenmaal een hekel aan knalrood meubilair, aan de andere kant zal de pandbewoner die telkens teleurgesteld wordt omdat zijn vergaderzaal bezet blijkt te zijn het heft vervolgens in eigen hand nemen.

4.1.3.2. Klanttevredenheidsonderzoek

Binnen de afnemersanalyse neemt het klanttevredenheidsonderzoek een wat bijzondere plaats in. Anders dan het koopgedrag aangeeft hoe de klant in elkaar zit, hoe deze handelt en welke verschillende klantengroepen er zijn te onderscheiden, wordt met het klanttevredenheidsonderzoek aan het licht gebracht hoe goed de facilitaire organisatie het doet in de ogen van deze klant. Klanttevredenheidsonderzoek wordt doorgaans toegepast als nulmeting en resultaatmeting bij (grootschalige) veranderingsprocessen om te komen van de huidige facilitaire organisatie naar een professionele klantgerichte facilitaire eenheid. Maar hetzelfde onderzoek kan ook prima worden toegepast om de nodige input te leveren voor de marketingstrategie en om bepaalde tussentijdse verbeteringsacties op touw te zetten ten aanzien van het gevoerde beleid.

Klanttevredenheidsonderzoek richt zich op wat de klant belangrijk vindt ten aanzien van de facilitaire dienstverlening en de tevredenheid van de klant over die aspecten. Het meet in feite het oordeel van de klant over datgene wat voor hem de kwaliteit van de dienst bepaalt. Het onderzoek kan op vele manieren worden uitgevoerd, maar kent altijd een kwalitatieve en een kwantitatieve fase. In de kwalitatieve fase wordt middels gesprekken met klanten vastgesteld welke aspecten de tevredenheid van de klant bepalen. In de kwantitatieve fase wordt het onderzoek daadwerkelijk uitgevoerd en zullen de klanten hun oordeel moeten geven over de verschillende aspecten. Als uitgangspunt voor het onderzoek geldt dat helder moet zijn waarover nou precies de tevredenheid wordt gemeten. Dit kan de totale facilitaire dienstverlening betreffen, maar het kan ook gaan om specifieke onderdelen daarvan zoals bijvoorbeeld de schoonmaak, de catering of de servicedesk. Het doel van het tevredenheidsonderzoek is te komen tot een opsomming van aspecten van de dienstverlening die voor verbetering vatbaar zijn en de prioriteitsvolgorde waarin deze aspecten verbeterd moeten worden. Het onderzoek levert daarnaast nog eens op dat de anders zo ontastbare dienst van een aantal handvaten wordt voorzien die blijkbaar bepalend zijn voor de kwaliteit. De klant die aangeeft dat bepaalde aspecten belangrijk zijn geeft daarmee in feite zijn verwachting aan, hetgeen weer het uitgangspunt is voor de uiteindelijke kwaliteitsbeleving van de dienst.

De tevredenheidsaspecten die in een klanttevredenheidsonderzoek aan de orde komen kan een lijst zijn van wel honderd variabelen. Ten aanzien van de facilitaire dienstverlening kan worden gedacht aan bijvoorbeeld de volgende aspecten:

• Bereikbaarheid van de afdeling, vriendelijkheid van uitvoerend personeel, de leesbaarheid van de correspondentie, de besluitvorming rondom een bestelling, het gemak om 'zaken te doen', afspraken nakomen, betrokkenheid bij het verzoek van de klant, inlevingsvermogen in de klantsituatie, de samenstelling van het assortiment, de verleende service bij onvolkomenheden, snelheid van handelen, duidelijkheid over de dienst, stiptheid en correctheid van aflevering, bekwaamheid van personeel, hoffelijkheid bij het optreden, de sfeer waarin de dienst wordt uitgevoerd, de afhandeling van klachten, behulpzaamheid bij problemen, de informatieverstrekking naar de klant toe, flexibiliteit van het personeel et cetera.

Voor de uitvoering van het onderzoek kan zowel van een schriftelijke enquête, persoonlijke interviews als een combinatie van beide gebruik worden gemaakt. Hoewel persoonlijke interviews een hogere response geven, vergen ze ook veel meer tijd. Afhankelijk van de omvang van de doelgroep zal hierin een keuze moeten worden gemaakt. Belangrijk is in ieder geval dat het onderzoek voldoende representatief is. Uitspraken voor 2000 pandbewoners op basis van 20 interviews met mensen van dezelfde afdeling zijn uiteraard van geen enkele waarde. Ook ten aanzien van de vraagstelling en antwoordmogelijkheden moet rekening worden gehouden dat er een zo objectief mogelijk beeld ontstaat over de klanttevredenheid.

4.1.4. De concurrentie-analyse

Naast klanten (customers) wordt de andere belangrijke factor in het 'positiespel' van de facility manager gevormd door de concurrentie (competition). De aanwezigheid van concurrentie was immers de aanleiding om serieus aan marketing te doen. De basis voor succes of falen van de facilitaire organisatie is dan ook gelegen in het wel of niet (kunnen) bieden van concurrentievoordeel aan enerzijds haar klanten en anderzijds de aandeelhouders. Hierom zal ten behoeve van het ontwikkelen van een geschikte marketingstrategie de concurrentiesituatie in kaart gebracht moeten worden. Centraal in deze analyse staat dat het inzicht geeft in hoe de facilitaire organisatie concurrentievoordelen kan creëren en kan behouden.

Voor de concurrentie-analyse biedt het zogenaamde 5-krachtenmodel van Porter (1980) een goede houvast. Porter onderscheidt hierin een vijftal krachten waarmee de concurrentiestructuur en karakteristieken van de branche (intensiteit van de concurrentie) alsook de winstgevendheid ervan inzichtelijk wordt gemaakt. De branche of bedrijfstak wordt dan in feite gevormd door het geheel van bedrijfshuishoudingen die gezamenlijk direct of indirect betrokken zijn bij de facilitaire dienstverlening binnen de onderneming. De vijf krachten zijn:

- De interne rivaliteit.
- De potentiële toetreders.
- De substituten.
- De onderhandelingskracht van leveranciers.
- De onderhandelingskracht van de afnemers.

Al deze vijf krachten bepalen de winstgevendheid van de bedrijfstak, ofwel het rendement dat op de investering in facilitaire dienstverlening kan worden behaald, omdat ze de prijzen, de kosten en de benodigde investeringen beïnvloeden.

- **De interne rivaliteit**
  Interne rivaliteit is een wat vreemd begrip als we kijken naar de 'bedrijfstak' van de facilitaire organisatie. Als er al sprake kan zijn van rivaliteit binnen de ondernemingsmuren, dan is dat het gevecht om de budgetten van de aandeelhouders. Dit gevecht voert in feite iedere afdeling afzonderlijk. Als de facilitaire organisatie wil investeren in nieuwe apparatuur zal zij evenzeer een bepaalde strijd moeten leveren als wanneer de productie-afdeling een nieuwe machine wil aanschaffen. In die zin is er sprake van budgetrivaliteit. De facilitaire organisatie en externe leveranciers van uitbestede diensten concurreren onderling weer niet met elkaar. Ze staan gezamenlijk voor de taak de gehele facilitaire dienstverlening zo goed en efficiënt mogelijk uit te voeren.

Als we kijken naar de budgetrivaliteit zijn er een aantal factoren die de intensiteit hiervan bepalen, de zogenaamde rivaliteitsdeterminanten. Specifiek voor de facilitaire organisatie zijn dat:

- Omvang en groei van (de behoefte aan facilitaire diensten binnen) het bedrijf.
- Vaste kosten c.q. toegevoegde waarde van de facilitaire organisatie.
- Overstapkosten of uitbestedingsdrempels voor het bedrijf.
- Verscheidenheid aan concurrenten dat wil zeggen interne afdelingen.

- Belang dat de onderneming hecht aan facilitaire diensten.
- Ondernemingsstrategie (back to core).
- Specifieke karakter van de facilitaire dienst (in welke mate moet een professionele en veel deskundigheid vereisende dienst worden neergezet).

- **De potentiële toetreders**
  De bedreiging van nieuwe toetreders is de dreiging van uitbesteding van de facilitaire dienstverlening. Deze dreiging komt voort uit de aanwezigheid van allerlei vaak gespecialiseerde bedrijven die bepaalde facilitaire diensten aanbieden. Hieronder vallen de schoonmaakbedrijven, cateringorganisaties, beveiligingsbedrijven, drukkerijen, maar ook de main contractors die een totale facilitaire organisatie overnemen.

  De mate waarin dit gebeurt is sterk afhankelijk van de branche of beter het primaire proces van het bedrijf of instelling. Zo zien we dat schoonmaak in zowel het bedrijfsleven als de overheidssector voor zo'n 90% is uitbesteed, terwijl in de zorgsector dat op zo'n 20% ligt. In het bedrijfsleven is de catering voor 51% uitbesteed terwijl dat percentage in de gezondheidszorg ligt op slechts 1,9% (Bedrijfschap Horeca, 1996). Bepaalde facilitaire diensten hebben zo'n sterke invloed op of hangen zo nauw samen met het resultaat van het primaire proces, dat deze mogelijk zelfs ongeacht de kosten in eigen beheer blijven behouden. Dan is er voor de facilitaire organisatie helemaal al geen gevaar voor nieuwe toetreders meer. Andere barrières worden gevormd door het benodigde kapitaal en kennis dat is vereist om de dienst te kunnen leveren, de overstapkosten voor het bedrijf, product-differentiatie ofwel de verschillen tussen de verschillende marktpartijen en de eigen facilitaire organisatie alsook het vaste kostenniveau van de facilitaire organisatie en bepaalde ondernemingsbelangen. De keuze om uiteindelijk wel of niet uit te besteden wordt gemaakt op basis van een drietal motieven: *economisch, technisch en emotioneel.*

  - Economische motieven
    Eén van de motieven om uit te besteden kan zijn financieel voordeel. Specialisten bereiken schaalvoordelen doordat ze op meerdere locaties tegelijk opereren, slechts één specifiek kunstje kunnen maar het wel heel vaak vertonen. Externe aanbieders komen daarom ook vaak tegen kost-prijs binnen, als ze de opdracht echt willen hebben. Het verlies bij de ene klant kan door de winst bij een andere klant worden gecompenseerd. Een ander economisch motief is of de dienst regelmatig danwel af en toe nodig is. De flexibiliteit van de facilitaire organisatie speelt dan een belangrijke rol. In iets dat ze af en toe uitvoert of wat slechts af en toe nodig is zal de facilitaire organisatie geen ervaring of expertise kunnen opdoen.

  - Technische motieven
    De continuïteit van het primaire proces kan een technisch motief zijn om diensten wel of niet uit te besteden. Bepaalde facilitaire activiteiten worden mogelijk in eigen beheer gehouden, omdat men anders afhankelijk wordt van derden. Dit heeft in sterke mate te maken met de relatie tussen de facilitaire taak en het primaire proces. De scheiding

primair en ondersteunend proces ligt dan ook veel minder duidelijk. Technische motieven liggen meer in de aard van het wel of niet aanwezig zijn of hebben van de noodzakelijke technische kennis en faciliteiten. Zo is het installeren en onderhouden van bijvoorbeeld telecommunicatie-voorzieningen dusdanig complex dat het haast onmogelijk is om daarvoor de expertise in huis te hebben.

- Emotionele motieven
  Emotionele motieven om bepaalde diensten wel of niet uit te besteden liggen vaak in de sfeer van sociaal wel of niet verantwoord. "Ach, hij loopt toch rond dus waarom geven we hem dan ook niet een paar klusjes" of "dat hebben we altijd al zelf gedaan, dus waarom nu ineens niet meer" zijn dan opmerkingen die vaak worden gehoord als men niet wil uitbesteden (tegen beter weten in). Emotionele motieven hebben ook vaak meer te maken met het niet uitbesteden dan het wel uitbesteden van facilitaire diensten. Als voor uitbesteding toch belangrijke economische motieven bestaan wordt vaak getracht om uit sociale overweging het personeel over te doen aan de externe partij.

- **Substituten**
  Substituten van facilitaire diensten moeten worden gezocht in de sfeer van fysieke producten. Dezelfde prestatie kan dan ook worden geleverd door een machine of iets anders fysieks. Denk hierbij aan de koffieronde die door restauratief personeel wordt verzorgd versus de koffie-apparaten in de koffiecorners, of de decentrale copieerapparatuur versus een eigen afdeling repro. Met name voor diensten die via een zelfbedieningsproces tot stand kunnen worden gebracht geldt deze substitutiedreiging. Dit vervangen van een dienst door een fysiek product heet ook wel *industrialisering van de dienstverlening*. Plaatsing van apparatuur betekent tevens een rolver-schuiving voor de facility manager. Zijn rol verschuift van dienstenmanager naar die van beheerder (van apparatuur). Een andere substitutiedreiging voor de facilitaire organisatie wordt gevormd door de business centers. Het gehele bedrijf gaat zich huisvesten in een gebouw dat door derden wordt geëxploiteerd. Vooral kleinere bedrijven zullen dit aantrekkelijk vinden. Voor substitutie spelen met name de overstapkosten een belangrijke rol. Indien apparatuur goedkoper is dan personeel en evenzo gemakkelijk door iedereen te bedienen is, zal het management al vrij snel overgaan tot plaatsing van zelfbedieningsapparatuur. Een goed voorbeeld hiervan is het vervangen van bewakingspersoneel door toegangscontrolesystemen. Een magneetpasje en een computer dragen er vervolgens zorg voor dat de deuren die geopend mogen worden ook inderdaad geopend worden voor de betreffende persoon.

Volgens gegevens van de Vereniging Inzake Distributie en Diensten door Automaten (VIDA) te Utrecht is in 1995 het aantal voedsel- en drank-automaten met 17 procent toegenomen ten opzichte van 1994. De penetratie van deze apparatuur is de afgelopen jaren sterk toegenomen omdat in alle sectoren de consumptieve verzorging door middel van automaten geaccep-teerd en ingeburgerd is. Het gaat hierbij niet alleen om koude en warme dranken, maar ook om voedsel, van eenvoudige candybars en snacks tot en met complete maaltijden. De automatenbranche is zeer optimistisch gestemd en verwacht dan ook dat de automatendichtheid de komende jaren nog sterker zal gaan toenemen. Parallel aan deze ontwikkelingen zien we dat geld, ook muntgeld, steeds vaker door plastic wordt vervangen. Ontwikkelingen als de chipknip en de chipper zijn daar natuurlijk voorbeelden van.

- **Onderhandelingskracht van leveranciers**
  Alle ingrediënten die de facilitaire organisatie nodig heeft om haar diensten te kunnen produceren hebben zo hun impact op de (kost)prijs van de uiteindelijke prestatie. Dat geeft ook meteen de onderhandelingspositie weer die de toeleveranciers van deze ingrediënten hebben op de concurrentiepositie van de facilitaire organisatie. Zo wordt duidelijk dat de facilitaire organisatie de concurrentiestrijd kan verliezen, omdat de facilitaire inkoper faalt om gunstige prijzen te bedingen bij zijn leveranciers. Determinanten van de leverancierspositie zijn zoal overstapkosten van leveranciers, de aanwezigheid van substituerende ingrediënten of leveranciers, de kosten van de ingrediënten bij die leverancier in verhouding tot de totale facilitaire kosten, belang van bepaalde ingrediënten op de differentiatie van het facilitaire assortiment ten opzichte van de concurrentie. De onderhandelingskracht van leveranciers wordt vooral bepaald door de mate waarin hun specifieke aanbod nodig is om de prestatie waar te maken.

- **Onderhandelingskracht van afnemers**
  Bij de onderhandelingskracht van de afnemers van de facilitaire organisatie spelen twee componenten een belangrijke rol. Enerzijds of er sprake is van een gedwongen winkelnering, anderzijds het soort dienst dat wordt geleverd. Het zal duidelijk zijn dat niet iedere afzonderlijke klant een eigen receptioniste en schoonmaker zal (willen) inhuren. Bepaalde diensten worden of kunnen zelfs niet anders dan bedrijfsbreed worden aangeboden en afgenomen. De individuele klant heeft daar niet of nauwelijks invloed op, maar zal dat ook niet verlangen. Echter daar waar het gaat om de meer persoonsgerichte individuele diensten, zoals catering, bepaalde reprodiensten of zelfs meubilair is het zeer goed denkbaar dat de afzonderlijke klant daarover wil gaan onderhandelen. De onderhandelingskracht van de afnemers hangt dan ook nauw samen met de 'ruimte' die de afzonderlijke klant wordt geboden. Is hij gebonden aan een bepaald assortiment of is hij vrij in het kiezen van leverancier. Nu kan deze onderhandelingskracht prima worden geformaliseerd door het afsluiten van een intern contract voor dienstverlening met het management en dit te vertalen in een producten- en dienstencatalogus voor de pandbewoners. Middels een dergelijke overeenkomst kan voor een bepaalde periode (looptijd van het contract) de bandbreedte worden aangegeven voor de dienstverlening. Maar hoe dan ook, toch zal de pandgebruiker altijd met de facilitaire organisatie willen onderhandelen als het gaat om producten en diensten die hem persoonlijk aangaan.

In het algemeen kunnen we wel stellen dat er een intensivering van de concurrentie plaatsvindt. Facilitaire dienstverlening is een volwaardige tak van sport geworden die steeds meer serieuze aandacht krijgt van de ondernemingsleiding. Het management beseft steeds meer dat zaken als arbeidssatisfactie, loyaliteit en gemotiveerde medewerkers niet alleen maar een kwestie is van de taken en verantwoordelijkheden, carrière, salaris en secundaire arbeidsvoorwaarden, maar dat het bedrijf als geheel in al z'n facetten daar een steeds grotere bijdrage aan levert. De hoeveelheid geld die in facilitaire dienstverlening omgaat biedt daarbij genoeg aantrekkelijke mogelijkheden voor allerlei zelfstandige dienstverleners. Ook vindt er een enorme schaalvergroting plaats van aanbieders van facilitaire diensten. Er ontstaan steeds meer zogenaamde mega-aanbieders van facilitaire diensten op de markt. De main contractors zijn daar een voorbeeld van, maar ook de enorme omvang van cateringorganisaties en schoonmaakbedrijven die steeds vaker over de landgrenzen opereren. Begrip van de onderliggende krachten die de concurrentie opdrijven en begrip van de eigen positie en die van de concurrentie in relatie tot deze krachten is vereist om zich als facilitaire organisatie staande te kunnen houden op de (interne) markt. Pas wanneer dat begrip er is kan er iets worden gedaan om de concurrentie-krachten te beïnvloeden die inwerken op de eigen organisatie.

4.1.5. De levenscyclusfase van facilitaire organisaties

Ieder product of dienst maakt een bepaalde ontwikkeling mee vanaf de geboorte tot aan het moment dat het weer volledig van de markt verdwijnt of als melkkoe wel gewoon op de markt blijft maar geen groei meer door-maakt. Deze ontwikkeling wordt de productlevenscyclus (PLC) genoemd en kent een viertal fasen: *introductie, groei, verzadiging en neergang.* Deze PLC geldt niet alleen voor een product of dienst, maar is eveneens van toepassing op een gehele bedrijfstak. Bepaalde industrieën ontstaan ineens en maken een zelfde ontwikkeling mee als producten en diensten. Denk daarbij bijvoorbeeld aan het ontstaan en bijna volledig verdwijnen van de textielindustrie in Nederland. De afgeleiden daarvan, de broeken en shirts en wat niet meer zij, bestaan nog steeds en vullen een paar maal per jaar een bepaald modebeeld in. De fase nu waarin een bepaald product of een gehele bedrijfstak zich bevindt in deze levenscyclus is bepalend voor de intensiteit van de concurrentie. In de introductiefase zijn er weinig tot geen concurren-ten; tijdens de groeifase groeit eveneens het aantal concurrenten; wanneer de markt verzadigd is is eveneens de concurrentie het hevigst en in de neer-gangsfase zal er nog een klein aantal aanbieders zijn die de markt probeert uit te melken tot er geen winst meer te behalen valt.

De professionele facilitaire organisatie maakt eveneens een dergelijke ont-wikkeling mee. Het meest tekenend hiervoor is nog wel de gehele ontwik-keling die uiteindelijk heeft geleid tot de klantgerichte en marktgerichte facilitaire eenheden (organisaties) en zelfs verzelfstandigde facilitaire bedrij-ven die thans opereren binnen en buiten de bedrijfsmuren. Tot de zestiger jaren was er sprake van desintegrale facilitaire dienstverlening. Bepaalde werknemers die over specifieke vakkennis op facilitair gebied beschikten gingen een bepaalde functie uitoefenen. Er was absoluut nog geen sprake van een specifieke organisatie-eenheid. Iemand die handig was en tijd had werd gewoontegetrouw ingezet voor de klusjes die de organisatie verlangde.

Op basis van de beschikbare capaciteit werd invulling gegeven aan de facilitaire dienstverlening. In de zeventiger jaren werd de ontwikkeling naar integrale dienstverlening ingezet. Er werd een taakgerichte organisatie op poten gezet, een interne dienst, die allerlei facilitaire taken zo integraal mogelijk uitoefende, maar nog steeds erg doenerig van aard was. De huidige producten en diensten zijn het uitgangspunt voor hetgeen er wordt gedaan en er is veel aandacht voor werkmethoden, technieken en procedures en de onderlinge afstemming van de processen. In de tachtiger jaren is er sprake van facility management. Een georganiseerde bedrijfseenheid die er is voor haar klanten, de pandbewoners en externen. De facilitaire organisatie is wel klantgericht bezig, echter men is alleen maar intern georiënteerd en krijgt telkens weer te horen dat de kosten lager moeten. Bij de producten en diensten die worden geleverd wordt telkens de vraag gesteld of het wel verantwoord is. De activiteiten richten zich puur op de ondersteuning van het primaire proces. Langzaam wordt een begin gemaakt met het inzichtelijk maken van de kosten door ze toe te wijzen aan de verschillende gebruikers die zijn opgedeeld in kostenplaatsen. Thans in de negentiger jaren is er dan sprake van de facilitaire bedrijfseenheid. Een professionele organisatie die niet alleen maar intern georiënteerd is, maar zich ook bewust is van de aanwezigheid van andere marktpartijen. Ze stemt haar assortiment af op de wensen en behoeften van de klant gericht op het stimuleren van de productiviteit en verleent haar diensten tegen marktconforme prijzen. De activiteiten worden in toenemende mate vanuit een strategisch co-makership of partnership ten aanzien van het primaire proces ontplooid. De nadruk ligt op het 'produceren van toegevoegde waarde'. Deze ontwikkeling loopt bijna parallel aan de ontwikkeling richting de marketingoriëntatie, zoals we die al eerder zagen.

- Desintegrale dienstverlening   '60 - "Dit kunnen we"

- Integrale dienstverlening   '70 - "Dit doen we"

- Facility management   '80 - "Dit kunnen we voor u doen"

- Facilitaire bedrijfseenheid   '90 - "Zo kunt u met ons geld verdienen"

Op zich is deze ontwikkeling best logisch te verklaren. Als er nog geen concurrentie is, waarom zou je je dan druk maken over efficiënt leveren van facilitaire diensten. Het kost toch immers niets, want alle kosten van de ondersteunende processen worden op één hoop geveegd. Maar langzaam maar zeker krijgt de facilitaire dienstverlening meer aandacht omdat er steeds meer geld mee is gemoeid en deze kosten zichtbaar meer impact hebben op het totale bedrijfsresultaat. De kritische blik van de bedrijfs-leiding geeft dan eigenlijk aan in welke fase van de levenscyclus facilitaire dienstverlening zich bevindt. Als de bedrijfsleiding ervan overtuigd is dat facility management een bijdrage kan leveren aan het primaire proces en dus het bedrijfsresultaat zal ook de erkenning en aandacht voor het vakgebied toenemen. Naarmate de onderneming groter wordt zal ook de vereiste professionaliteit van de facilitaire dienstverlening toenemen. De complexiteit van de dienstverlening neemt namelijk toe en tevens de impact die het heeft op het bedrijfsresultaat omdat ook de kosten navenant stijgen. Op dat moment zullen de aandeelhouders van de facilitaire organisatie vergelijkingen gaan maken met externe aanbieders van facilitaire diensten en is er dus de dreiging van uitbesteding.

Een absoluut kenmerk van deze tijd is dat de levenscycli van producten steeds korter worden. Ging een nieuw model auto 15 jaar geleden toch zeker een jaar of 5 tot 8 mee, tegenwoordig wordt na 2 jaar alweer een 'nieuw' model van hetzelfde type gelanceerd. Hebben we vanaf begin jaren tachtig 4 jaar moeten wachten op de vervanger van de 8088-processor, zo werd de 486-processor binnen een jaar opgevolgd door de Pentium. De fax kwam eind zeventiger jaren als opvolger van de 'eeuwenoude' telex. Nu maken fabricanten van faxapparatuur zich terecht ernstig zorgen omdat met E-mail hetzelfde kan worden bewerkstelligd, en de fax binnen 5 jaar waarschijnlijk op leven na dood is. In den beginne was er de traditioneel leven-hypotheek met een 'onzekere' einddatum waarop het benodigde kapitaal bij elkaar is gespaard. Pas vele jaren later werd de annuïteiten-hypotheek en weer later de spaarhypotheek (als verdringer van de traditioneel leven) geïntroduceerd met allemaal een vaste looptijd van 30 jaar. Nu worden er langzaam maar zeker allerlei flexibele vormen van hypotheken aangeboden door de diverse verstrekkers. Flexibel in aflossing, flexibel in looptijd, flexibel in belegging et cetera. Het onderscheid van alleen een lager rentepercentage ten opzichte van de concurrentie biedt geen soelaas meer. Facilitaire dienstverlening is in die zin ook verre van een statische aangelegenheid. En de alerte facility manager zal zich goed moeten realiseren wat er allemaal op hem af kan komen en met zekerheid ook op hem af zal komen.

4.1.6. Kritische succesfactoren

Kritische succesfactoren onderscheiden de winnaars van de verliezers. Typische eigenschappen die de winnaars gemeen hebben en de verliezers ontberen, kunnen worden beschouwd als kritische succesfactoren. En de facilitaire organisatie zal deze eigenschappen minimaal moeten adopteren om de concurrentiestrijd aan te kunnen en te kunnen winnen.

Binnen de facilitaire dienstverlening is er een achttal factoren op te noemen waarin de dienstenleverancier minimaal moet uitblinken wil het zich staande weten te houden. De reden daartoe is heel eenvoudig: de concurrentie doet het wel en zowel klant als aandeelhouders vinden het belangrijk. De acht factoren zijn:

- Kostenbeheersing.
- Integrale dienstverlening.
- Integrale kwaliteitszorg.
- Professionaliteit.

- Klantgerichtheid.
- Maatwerk.
- Flexibiliteit.
- Marktconformiteit.

- **Kostenbeheersing**
  De algemene opvatting is nog steeds dat facilitaire dienstverlening alleen maar geld kost en te weinig oplevert. In zekere zin klopt dat ook wel, omdat de opbrengsten van facility management moeilijk of niet zijn te meten in geld. En dat er geld in omgaat is evident. Slechts het verschil tussen de kosten van vorig jaar en de kosten van dit jaar zijn concrete cijfers. Maar de rol van de facilitaire organisatie is ook niet om geld te verdienen. Zij moet er in volstaan om het primaire proces voor alle betrokkenen met zo weinig mogelijk verstoring te laten verlopen. Op het moment dat ze daarin slaagt heeft ze kosten bespaard, omdat er geen productiviteit verloren is gegaan. Kostenbeheersing heeft dus ten eerste te maken met de continuïteit van de productiviteit van het primaire proces en ten tweede met de uitgaven die hiermee zijn gemoeid. De facilitaire ondersteuning zal zo efficiënt mogelijk ter hand moeten worden genomen, dan is er sprake van kostenbeheersing.

- **Integrale dienstverlening**
  Met integrale dienstverlening wordt bedoeld: de juiste dingen in één keer goed doen. Bij heel veel facilitaire diensten komen meerdere disciplines aan te pas. Door al deze verschillende disciplines, die gezamenlijk moeten zorg dragen voor de prestatie, goed op elkaar af te stemmen wordt voorkomen dat er dubbelwerk wordt verricht, er onnodige wachttijden ontstaan of bepaalde werkzaamheden gewoonweg worden vergeten. De werkzaamheden zullen daar waar nodig goed op elkaar moeten aansluiten. Maar de flexibiliteit die de ene discipline wel kan opbrengen mag niet ten koste gaan van de andere discipline. Hiervoor is het nodig dat men samenwerkt en elkaar informeert.

- **Integrale kwaliteitszorg**
  Kwaliteit is datgene wat de klant tevreden stelt. En in dienstverlening betekent dit dat in elke fase van het dienstverleningsproces een goede prestatie geleverd moet worden en er mag niet één fase worden genegeerd of ondergeschikt worden gemaakt. Integrale kwaliteitszorg betekent dus procesbeheersing. De ketting is zo sterk als de zwakste schakel. Kwaliteitszorg staat en valt met de aandacht van het management, de facility manager dus en heeft heel veel te maken met mentaliteit. En kwaliteitszorg is niet iets van het moment, maar iets wat elke dag opnieuw aandacht vereist. Uit onderzoek van de PA Consulting Group (1996) is gebleken dat het beschikken over een ISO-certificaat geen maatstaf is voor kwaliteitsmanagement. In dienstverlening kan men niet de machine eenmalig afstellen op een bepaalde output. In dienstverlening zal de machine voor iedere prestatie opnieuw afgesteld moeten worden.

- **Professionaliteit**
  Professionaliteit wil zeggen je werk serieus nemen, de klus als je professie, je dagelijks brood zien en er ook zo mee omgaan. Professioneel houdt in de

dingen niet een beetje doen, maar je volledig inzetten. Je bent dienstverlener of je bent het niet. En je bent het niet tussen 9 en 5, het is geen machine die kan worden stopgezet. Vakkundig met facilitaire dienstverlening omgaan betekent dat je weet waar je het over hebt, dat je specialist bent, dat je niet rommelt in de marge, maar de marge in de rommel in de gaten houdt. En professionaliteit komt tot uiting in zo weinig mogelijk ongecontroleerde activiteiten, die geen (zichtbare) toegevoegde waarde opleveren.

- **Klantgerichtheid**
Facility management draait om mensen hebben we al gezien. De aanwezigheid van mensen in en om de huisvesting, gebruik makend van de faciliteiten die worden geboden is de bestaansreden van de facilitaire organisatie. Dit hoef je externe, commerciële aanbieders niet meer te vertellen. Zij weten inmiddels dat het draait om tevreden, terugkerende en betalende klanten. Dat vereist aandacht en zorg. Dat vereist je willen en kunnen verplaatsen in de huid van die klant. Dat houdt in dat je met hem meevoelt waar het nodig is en dat je anticipeert op zijn gedrag. Dat houdt in dat je niet je eigen taal spreekt (de klant vindt benchmarks en netto vloeroppervlakte en ander jargon niet interessant) maar de taal van de klant spreekt en begrijpt. De klant is er niet voor jou, jij bent er voor hem. Zo niet, dan zijn er genoeg anderen die het maar al te graag van je overnemen.

- **Maatwerk**
Bovenal heeft de facilitaire organisatie te maken met individuen. Ieder mens is anders en binnen de bandbreedte die er is zal je moeten proberen de klant op z'n wenken te bedienen. Dat vereist maatwerk, omdat de klant nu eenmaal maatwerk is. Maar maatwerk betekent ook nee kunnen en durven zeggen op het moment dat het echt niet kan. "Nee, want...", "nee, maar..." vindt de klant prima als het maar beargumenteerd is. Maatwerk is "dit kan ik voor u betekenen" maar ook "dit is het alternatief dat ik u kan bieden". Maatwerk is tevens de dingen doen op het moment dat het de klant het beste uitkomt. Het periodieke onderhoud aan de verwarming en ventilatoren kan ook 's avonds worden uitgevoerd. De vergaderzaal moet voor aanvang van de vergadering volledig zijn voorzien van alles wat gewenst is zodat er tijdens de vergadering niet nog iemand de lamp van de overheadprojector hoeft komen te vervangen. Maatwerk is het afstemmen van het assortiment op de wensen en behoeften van die klant.

- **Flexibiliteit**
Flexibiliteit bestaat uit het scherp aanvoelen van de (ernst van de) situatie en daarop kunnen inspelen met het grootste gemak. Bepaalde mensen zijn er mee geboren en kunnen heel snel switchen. Anderen moet je een week van te voren op een presenteerblad aanreiken wat de bedoeling is, zodat ze zich geestelijk kunnen voorbereiden op de situatie die nog plaats moet vinden. Als alles volgens planning verloopt is er geen vuiltje aan de lucht. Maar juist de ad hoc-situaties, waarin van het personeel improvisatietalent en creativiteit wordt vereist, zijn bepalend voor het succes van de facilitaire organisatie. Als er iemand een plantenbak in de ontvangsthal heeft omgegooid wacht je niet tot de schoonmaker 's avonds komt, maar steekt je zelf even de handen

uit de mouw, of haalt iemand van een minder urgente klus af. Flexibiliteit is ook in noodzakelijke gevallen van de regels kunnen en durven afwijken. Maar wel op die manier dat uitzondering geen regel wordt.

- **Marktconformiteit**
  Je bent als facilitaire organisatie marktconform op het moment dat je prijsstelling kan concurreren met die van externe marktpartijen. Maar ook op het moment dat de kwaliteit van de dienstverlening zich kan meten met die van externe aanbieders. Marktconformiteit is je eigen broek weten op te houden, weten wat er allemaal te koop is en voor hoeveel.

In z'n algemeenheid kun je stellen dat de dienstverleningsbranche een omschakeling doormaakt van volumegericht naar kwaliteit. De afnemers van diensten zijn niet meer tevreden met meer aandacht, meer service, nog meer mogelijkheden om de diensten af te nemen (gebruiksmomenten verhogen) of nog meer van alles wat. De afnemers zijn, zoals al bij de afnemersanalyse werd behandeld, steeds sceptischer en daarom pas tevreden wanneer er echte kwaliteit is geleverd. Meer van alles kan altijd, daar gaat men al van uit. Kwaliteit houdt derhalve in: wát wordt geleverd, wáár het wordt geleverd, hóe het wordt geleverd en wannéér het wordt geleverd is toegesneden op de klantsituatie. In hun boek "Naar 2020" schrijven Eilander en Van Kralingen (1995) dat 'meer en beter' de attractie van de consument verliezen. Producten moeten in toenemende mate voldoen aan duurzaamheidskenmerken: gemak, groen, gezond, goed, goedkoop en gezellig (de 6 G's). Binnen de facilitaire dienstverlening hebben we een aantal van deze kenmerken al kunnen waarnemen.

De acht genoemde kritische succesfactoren gelden in z'n algemeenheid voor (facilitaire) dienstverlening. Het is daarom goed mogelijk dat bepaalde factoren voor de eigen situatie veel minder kritisch zijn dan wordt verondersteld. Of dat andere factoren weer veel bepalender zijn voor het succes. De genoemde factoren zullen dus sowieso voor de eigen situatie nog getoetst moeten worden, en daar waar nodig moeten worden veranderd of aangevuld.

4.1.7. De concurrentiepositie van de facilitaire organisatie

Als de afnemers in kaart zijn gebracht, de concurrentie is geanalyseerd en de kritische succesfactoren bekend zijn, wordt het zaak om de vergelijking met de concurrentie op te maken en de eigen positie te bepalen. De beste methode hiervoor is om de bronnen die leiden tot concurrentievoordeel en de resultaten hiervan op een rijtje te zetten en de eigen facilitaire organisatie samen met de belangrijkste concurrenten daarnaast te zetten. Vervolgens geef je per concurrentiefactor aan wie van de aanbieders hoe goed scoort.

Een goede en stevige concurrentiepositie bereik je niet door alleen maar de dingen goed te doen. Dit bereik je door de dingen die belangrijk zijn beter te doen dan de concurrentie en al het andere minstens zo goed te doen. Het gaat om je onderscheidend vermogen ten opzichte van die concurrentie en de superieure performance die je als organisatie aan de dag weet te leggen. De uitkomst van die performance is enerzijds klanttevredenheid en - loyaliteit en anderzijds marktaandeel en 'winstgevendheid'. Als je dat hebt bereikt, als dat je positie is, dan heb je de kunst om de facilitaire organisatie optimaal af te stemmen ten opzichte van de klant en de concurrentie verstaan en ook daadwerkelijk ten uitvoer gebracht.

In figuur 4.4.wordt de eigen facilitaire organisatie afgezet tegen een drietal concurrenten. De opmaak en invulling van de tabel is wederom geheel afhankelijk van de marktdefinitie die is gekozen. Als de facilitaire organisatie in z'n totaliteit wordt vergeleken met enerzijds een schoonmaakbedrijf, een cateringorganisatie en een beveiligingsbedrijf is de tabel van geen enkele waarde. Er worden dan immers appels met peren vergeleken. Het kan wel zo zijn dat voor het deelgebied schoonmaak de eigen positie wordt vergeleken met een drietal schoonmaakbedrijven. Dan geeft de tabel snel en helder inzicht in de concurrentiepositie van de facilitaire organisatie. Het ligt daarom ook voor de hand dat voor ieder afzonderlijk facilitair deelgebied een dergelijke positiebepaling plaats moet vinden.

	Kostenniveau	Expertise	Klantgerichtheid	Kwaliteit	Imago
Eigen FO	0	+	-	0	++
Concurrent A	+	++	++	0	++
Concurrent B	- -	++	+	++	-
Concurrent C	++	0	++	-	0

Figuur 4.4. De concurrentiepositie van de facilitaire organisatie.

Een extra toevoeging aan deze vorm van positiebepaling zou kunnen zijn dat er wegingsfactoren aan de afzonderlijke concurrentiefactoren worden verbonden. Door per concurrentiefactor een weging tussen 0 en 1 toe te kennen en er voor te zorgen dat de totale wegingsfactor op 1 uitkomt, kan vrij snel de overall score worden berekend. De plusjes en minnetjes krijgen dan ook waarden. Op een schaal van 1 tot 10 zou dat bijvoorbeeld als volgt kunnen zijn: een '—' is 2, '-' is 4, '0' is 6, '+' is 8 en '++' is 10 punten.

4.1.8. De macro-analyse

Naast allerlei (zichtbare) krachten die binnen de bedrijfstak inspelen op de concurrentieverhoudingen tussen de verschillende dienstenaanbieders, zijn er ook bredere omgevingsontwikkelingen die goed in de gaten moeten worden gehouden. Dit is de zogenaamde macro-omgeving van de facilitaire organisatie. Hierin doen zich namelijk allerlei bewegingen en trends voor die direct of indirect, ofwel nu of later, op het bestaansrecht en het functioneren van de facilitaire organisatie van invloed zijn. De macro-omgeving kent een viertal aandachtsgebieden:

* Politiek-wettelijk.
* Economisch.

- Sociaal-cultureel.
- Technologisch.

- **Politiek-wettelijk**
  De overheid heeft een sterke invloed op de beslissingen van de facility manager, ook al lijkt dat in eerste instantie niet zo te zijn. Bijvoorbeeld de hele Arbo-wetgeving is in sterke mate bepalend voor de werkplekinrichting. Allerlei milieuwetten hebben zo hun weerslag op de afvalverwerking en het gebruik van schoonmaakmiddelen. Maar ook hele voor de hand liggende zaken als CAO-afspraken, vestigingseisen voor bepaalde bedrijfstakken en type industrieën, subsidies op investeringen is regelgeving van de overheid die doorwerkt op de facilitaire organisatie, maar ook op het gehele bedrijf als zodanig en dat van de concurrent.

- **Economisch**
  Economische ontwikkelingen die op facilitair gebied hun invloed uitoefenen zijn onder andere de kosten en beschikbaarheid van energie en de conjuncturele ontwikkeling (zegt iets over de concurrentieverhoudingen). De conjunctuur heeft zo z'n weerslag op de werkgelegenheid. In 1996 zijn er 100.000 arbeidsplaatsen bijgekomen en al die mensen moesten gehuisvest moeten.

- **Sociaal-cultureel**
  Sociaal-culturele waarden en normen gaan ook met hun tijd mee. Denk aan het arbeidsethos, ofwel hoe we met z'n allen tegen werken aankijken. We willen steeds meer vrije tijd en steeds minder werken, de overgrote meerderheid van de jonge gezinnen bestaat uit tweeverdieners en de vrouw als kostwinner deed z'n intrede. Opvattingen over milieu, gezondheid en het gezin vinden hun weerspiegeling in hoe we met energie omgaan, of we plastic bekers of porseleinen mokken gebruiken, of we meer thuis gaan werken en minder tijd op de zaak wensen door te brengen. Sociaal-culturele factoren vinden we ook terug in de sociale mobiliteit van personen. Zijn we bereid veel te reizen voor ons werk of niet. De vergrijzing van Nederland heeft waarschijnlijk ook gevolgen voor de facilitaire organisatie. De gemiddelde leeftijd van de pandgebruikers zal gaan stijgen, hetgeen een andere samenstelling van het dienstenpakket tot gevolg kan hebben. Heel veel factoren die we al tegenkwamen bij de afnemersanalyse komen hier terug. Alleen hier gaat het om een algemene verschuiving van waarden en normen die voor de gehele samenleving gelden.

- **Technologisch**
  Ontwikkelingen op het gebied van telecommunicatie en informatietechnologie hebben hun weerslag op facility management absoluut niet gemist. In 1995 ontstegen de integrale kosten per werkplek voor automatisering en telecommunicatie voor het eerst de kosten van de huisvesting. High tech komt steeds meer terug in en om de huisvesting. Facility management kent steeds meer een communicatiedominantie. De facility manager zal ook hier wat kennis betreft mee moeten gaan, anders is hij geen volwaardige gesprekspartner meer voor leveranciers, met alle gevolgen van dien. Technolo-

gische ontwikkelingen zien we ook terug in de gebruikte (bouw)materialen, verwarmings- en ventilatietechnieken, licht-, warmte en vochtigheidssensoren et cetera. Deze technology push zorgt ervoor dat er steeds meer mogelijk is zonder dat er mensen(handen) aan te pas hoeven te komen. Een electronisch oog is minstens zo scherp als het oog van een ervaren bewaker. Een directe afgeleide van de technologische stand van zaken is bijvoorbeeld ook telewerken. Zonder geraffineerde computertechnologie is het thuiswerken en toch verbonden zijn met de centrale computer op de zaak absoluut onmogelijk. De verschillen tussen de huisvesting van nu en die van twintig jaar geleden zijn al dramatisch, laat staan de verschillen tussen de huidige huisvesting en die over tien jaar.

4.1.9. Conclusies ten aanzien van de externe analyse

In z'n algemeenheid geldt voor markten waar fysieke producten nauwelijks voldoen dat er kansen liggen voor dienstverleners. Andersom gaat deze stelling echter ook op: daar waar personeel te duur is of niet meer voldoet zullen er apparatuur en machines worden ingezet. Fysieke producten en diensten zijn in sommige gevallen elkaars substituut hetgeen over en weer kansen en bedreigingen oplevert. De technology push en de communicatie-dominantie stellen andere eisen aan de facility manager dan in vroegere jaren. En omdat ontwikkelingen elkaar zo razendsnel opvolgen is het niet meer voldoende om als facilitaire organisatie in te spelen op de behoeften van het moment. Het vizier zal verder vooruit moeten worden gericht, de facility manager zal z'n tijd moeten gebruiken om de relevante ontwikkelingen in kaart te brengen, erop te anticiperen en erop te reageren. De enorme schaalvergroting en globalisering van de markt kan een grote bedreiging vormen voor de facilitaire organisatie. Cateringbedrijven die de groei in hun markt zien stagneren, gaan steeds vaker over op het aanbieden van totaal facility management. Hetzelfde zien we met schoonmaakorganisaties. Het is aan de facility manager om deze ontwikkelingen scherp te volgen en positie te kiezen. De boot is immers al uitgevaren en vanaf de wal is het moeilijk bijsturen voor de facility manager.

4.2. De interne analyse

De interne analyse is er op gericht om inzicht te krijgen in de strategische kracht van de facilitaire organisatie om de gedefinieerde kansen te benutten en de bedreigingen te pareren. Tot wat zijn we strategisch gezien in staat? Het gaat om het identificeren van mogelijke bronnen van concurrentievoordeel in de vorm van onderscheidende vermogens ten opzichte van de concurrentie. Na het uitvoeren van de interne analyse moet uiteindelijk duidelijk zijn geworden welke krachten de kosten opdrijven en welke krachten waarde toevoegen aan de activiteiten die de facilitaire organisatie ontplooit.

Het doel van de interne analyse is daarbij niet om de eigen organisatie door te lichten en vervolgens te reorganiseren of om te vormen tot een ideaal type.

De mogelijke aanpassing van de organisatie vloeit namelijk ook voort uit de gekozen marketingstrategie en vindt dus mogelijk veel later plaats.

Een belangrijk onderdeel zal zijn de analyse van het personeel en tot wat zij in staat zijn. Dienstverlening staat en valt immers bij de competenties en klantgerichtheid van het 'contact- en productiepersoneel'. Het uitvoeren van de interne analyse vereist een zeer kritische blik van de facility manager, die op dat moment even afstand moet nemen van zijn organisatie en er als een soort 'bedrijvenarts' tegen aan moet kijken. In die zin is het gebruik maken van expertise en onafhankelijkheid van buitenaf geen slecht idee.

4.2.1. Algemene organisatiekenmerken

Om een indruk te krijgen van de kracht en mogelijkheden van de facilitaire organisatie kan worden begonnen met het schetsen van de algemene organisatiekenmerken. Hiermee wordt feitelijk verder geborduurd op de al in kaart gebrachte taakomgeving van de facilitaire organisatie. Denk hierbij dan aan het aangeven hoeveel geld er omgaat in de facilitaire dienstverlening en hoe dit geld of budget is verdeeld over de verschillende activiteiten. Een meer uitvoerige analyse van de facilitaire organisatie, haar medewerkers en haar functioneren kan op tal van manieren worden gemaakt, waarbij onder andere het 7S-model van McKinsey gebruikt kan worden.

- **Strategie**
  Welke doelen zijn er geformuleerd en op welke wijze zullen deze worden gerealiseerd? Het wel of niet hebben geformuleerd van heldere doelen en beleid om deze doelen te behalen geeft in zekere mate de professionaliteit van de organisatie aan. Juist wanneer iedereen in de facilitaire organisatie op de hoogte is van de strategie ontstaat er een hechte eenheid en gevoel voor samenwerking. Het beleid dat wordt gevoerd geeft richting aan het feitelijk optreden en handelen van de facilitaire medewerkers.

- **Structuur**
  Hoe zit de facilitaire organisatie in elkaar en wat is de (gezags)relatie tot het bedrijf of instelling waaraan ze haar diensten verleent. Is ze autonoom, is ze resultaatverantwoordelijk, wat is de vrijheidsgraad van handelen? De verdeling van de taken of activiteiten, de bevoegdheden en verantwoordelijkheden van de verschillende medewerkers moeten in kaart worden gebracht. Hierbij wordt aangegeven welke hiërarchische niveaus er bestaan, wat de gezagsrelaties zijn en hoe de communicatielijnen lopen. Is de organisatie puur functioneel of meer procesmatig ingericht? Naast de formele organisatiestructuur is het ook van belang dat er zicht ontstaat op de informele organisatiestructuur.

- **Systemen**
  De systemen hebben betrekking op de regels en procedures die er zijn opgesteld om de dienstverlening gestalte te geven. Contracten met externen maken daar ook onderdeel van uit. Daarnaast geven de gehanteerde belonings-

systemen, kwaliteitssystemen, aanvraagformulieren en allerhande informatiesystemen, handmatig of geautomatiseerd, invulling aan de dienstverlening. De regels en procedures die zijn opgesteld om verzoeken tot dienstverlening in goede banen te leiden kunnen verstarrend werken maar juist ook weer zorg dragen voor een gestructureerde behandeling van de dienstenverzoeken. Als deze regels er zijn is het belangrijk dat de klant daarvan ook op de hoogte is.

- **Staf**
  Een wezenlijk onderdeel juist in dienstverlenende organisaties vormt de bemensing van de organisatie. De omvang en samenstelling van het personeelsbestand komt hierbij aan bod. Hoeveel medewerkers telt de facilitaire organisatie? Welke kwaliteit hebben we in huis? Wat zijn de bekwaamheden, het opleidingsniveau, de motivatie, leeftijdsopbouw, achtergrond en dienstbaarheid van de verschillende disciplines? Ook het personeelsbeleid dient hierbij onder de loep genomen te worden.

- **Sleutelvaardigheden**
  De sleutelvaardigheden geven aan waar de facilitaire organisatie nu echt goed in is. Wanneer de organisatie bestaat uit voornamelijk mensen met een technische achtergrond, is de kans groot dat de dienstbaarheid een stuk lager is dan wanneer de facilitaire organisatie is opgebouwd rondom mensen die uit de horeca komen. Een sleutelvaardigheid kan bijvoorbeeld ook zijn dat de facilitaire organisatie goed is in het planmatig uitvoeren van activiteiten en minder goed is in improviseren.

- **Stijl**
  Met stijl wordt aangegeven hoe de mensen onderling met elkaar omgaan. Wat voor manier van leidinggeven vindt er plaats en hoe praten mensen met elkaar: formeel of juist erg informeel? Omdat facilitaire dienstverlening bestaat uit heel veel afzonderlijke professies is de kans vaak groot dat er intern ook allerlei clubjes ontstaan. Als deze er zijn zullen ze afzonderlijk in kaart gebracht moeten worden. Om betere prestaties aan de dag te leggen is het namelijk noodzakelijk dat iedere discipline binnen de facilitaire organisatie bereid is tot samenwerking.

- **Samenbindende waarden**
  De samenbindende waarden staan voor de cultuur van de organisatie. Wat zijn de dominante waarden en normen, wat vinden de mensen nu echt belangrijk? Wat houdt de club bij elkaar en wat drijft de club mogelijk uiteen?

4.2.2. De waardeketenanalyse

Om te begrijpen waarom de facilitaire organisatie beter of slechter presteert dan de concurrentie kan niet de organisatie als geheel worden beschouwd. Concurrentievoordeel of een relatief gunstige kostenpositie komt voort uit de verschillende activiteiten die door de organisatie worden ontplooid. De bijdrage van ieder van deze activiteiten levert uiteindelijk de toegevoegde waarde op die de organisatie als geheel kan leveren aan haar klanten. Middels de waardeketenanalyse van Porter (1985) kunnen de verschillende bronnen van concurrentievoordeel worden geïdentificeerd. Het deelt een bedrijf op in strategisch relevante activiteiten om inzicht te verkrijgen in kostengedrag en de bestaande potentiële bronnen van differentiatie. Inzicht in het kostengedrag en de onderliggende kostenstructuur is daarom zo belangrijk voor een facilitaire organisatie om een onderbouwde beslissing te kunnen nemen voor de te volgen marketingstrategie. Vooral het kosten-niveau van de facilitaire organisatie in vergelijking met externe aanbieders geeft vaak aan of ze wel of geen bestaansrecht heeft in de ogen van de aandeelhouders. Met de telkens terugkerende eis van het management om deze kosten te reduceren of op z'n minst op een marktconform peil te brengen heeft de facility manager met de waardeketenanalyse een werkbaar model in handen om te beoordelen waar nog 'ruimte' zit om te bezuinigen danwel efficiënter te gaan werken.

Waarde-activiteiten kunnen worden opgesplitst in twee soorten: primaire en ondersteunende activiteiten. De primaire activiteiten omvatten de ingaande logistiek, operaties of productie, uitgaande logistiek, verkoop & marketing en de services. De ondersteunende activiteiten omvatten de verwerving, technologie-ontwikkeling, personeelsbeleid en de infrastructuur. Voor elk van de activiteiten moet worden aangegeven hoe en in welke mate ze waarde toevoegt aan het uiteindelijke resultaat of de prestatie die geleverd wordt en hoe en in welke mate ze invloed op de kosten heeft die met de totale prestatie gemoeid zijn.

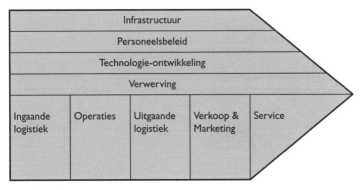

Figuur 4.5. De waardeketen.

De primaire activiteiten

- **Ingaande logistiek**
  De activiteiten die verband houden met het ontvangen, opslaan en versprei-den van 'grondstoffen' voor de diensten. Alle gebruiks- en verbruiksgoederen die door de facilitaire organisatie aan de pandbewoners worden aange-boden, zoals meubilair, kantoorartikelen, schoonmaakmiddelen, dranken en etenswaren et cetera zullen op enig moment worden aangeleverd en mogelijk een tijdje op voorraad gehouden worden. De invloed van de ingaande logistiek op het eindresultaat is niet erg groot. De kosten en toe-

gevoegde waarde die met de fysieke goederenstroom gemoeid gaan in de facilitaire dienstverlening zijn te gering om als differentiatiebasis bruikbaar te zijn. Het is wel altijd verstandig om de voorraden die gehouden worden, denk aan een grijpvoorraad van kantoorartikelen en bepaalde ingrediënten voor de catering, zo laag mogelijk te houden.

- **Operaties**
  De activiteiten die verband houden met het omzetten van de grondstoffen in het eindproduct. De voornaamste grondstof in de dienstverlening is tijd. De facilitaire organisatie die het meest effectief en efficiënt weet om te gaan met de aanwezige middelen en capaciteit kan een balangrijke voorsprong behalen op de concurrentie. Toegevoegde waarde kan bijvoorbeeld worden geput uit het in één keer goed doen van de juiste dingen, een integrale werkwijze door de verschillende (samenhangende) activiteiten op elkaar af te stemmen en door een perfecte afstemming van de front office met de back office. De productie bestaat uit het waarmaken van de dienst en omvat het grootste aandachtsgebied van de facilitaire organisatie, zoals het klanten-contact om de verzoeken tot dienstverlening aan te nemen, de eventuele planning van de verschillende activiteiten, de aansturing van de uit-voerenden en de terugkoppeling van de uitgevoerde activiteiten. En omdat de productie en consumptie van diensten veelal op hetzelfde tijdstip plaats-vinden kan operaties gezien worden als één van de belangrijkste waarde-activiteiten voor de facilitaire organisatie.

- **Uitgaande logistiek**
  De activiteiten die verband houden met het verzamelen en opslaan van het eindproduct en de fysieke distributie ervan naar de afnemers toe. Een eigenschap van diensten is dat ze ontastbaar zijn en dus niet opgeslagen kunnen worden. De uitgaande logistiek moet dan ook in eerste instantie in verband worden gebracht met die diensten die betrekking hebben op fysieke goederen, zoals bijvoorbeeld de catering, de post en de repro. Bij diensten die betrekking hebben op informatie-overdracht is er wel weer sprake van distributie, maar van fysieke opslag kan nooit sprake zijn. Hoe de diensten uiteindelijk de klant bereiken heeft zeer zeker invloed op het resultaat van de facilitaire organisatie. Het verschil tussen bijvoorbeeld zelfbediening en de situatie waarbij de dienstverlener naar de klant gaat brengt ook verschillen in kosten en toegevoegde waarde met zich mee. Differentiatie op basis van uitgaande logistiek is mogelijk maar beperkt, omdat in de meeste gevallen de dienst tijdens de productie ervan onmiddellijk wordt geconsumeerd.

- **Marketing & verkoop**
  De activiteiten die verband houden met het verschaffen van middelen waar-door de pandbewoners de diensten kunnen afnemen en hen daartoe bewe-gen. Als waarde-activiteit lijkt de marketing en verkoop tegenstrijdig te zijn met de opgave van de facilitaire organisatie om een kostenverantwoord dienstverleningsniveau te bewerkstelligen. Promotie kan immers leiden tot het overvragen van de facilitaire dienstverleners, ware het niet dat onder marketing en verkoop veel meer wordt verstaan dan alleen maar de promo-tie van de diensten. De profilering van de facilitaire organisatie, het samen-

stellen van het facilitaire assortiment, de selectie van de verschillende 'afzetkanalen' voor de goederen en diensten, zoals centrale of decentrale copieermachines, koffierondes of pantry's, het uitgeven van een producten- en dienstencatalogus en het doorbelasten van de diensten behoort allemaal bij de marketing en verkoop. Met een goed doordachte marketing en verkoop kunnen belangrijke kostenvoordelen en toegevoegde waarde worden gecreëerd ten opzichte van andere aanbieders. De diensten worden wellicht toch wel afgenomen, maar de mate waarin dit gebeurt en hoe dit gebeurt is met name bepalend voor het eindresultaat van de facilitaire organisatie. Marketing en verkoop spelen hierin een doorslaggevende rol.

- **Services**
De activiteiten die verband houden met het leveren van service om de waarde van de dienst te verhogen of te handhaven. Service neemt ook binnen de dienstverlening een belangrijke plaats in. Het heeft niets te maken met 'omruilgarantie', reparatie of training in het gebruik van, maar alles met klachtenafhandeling, nazorg en pro-actief optreden. Omdat juist in de dienstverlening de kwaliteit zo afhankelijk is van dat ene moment waarop de dienstverlener in actie komt is service zo belangrijk om niet alleen te vragen of er kwaliteit is geleverd, maar ook om de klant het gevoel te geven dat je om hem geeft. Middels een goede service kunnen wezenlijke concurrentie- voordelen worden bereikt. Een kwalitatief goede dienstverlening zit hem namelijk ook vooral in om hoe je de dingen doet. Het is het verschil tussen de boodschap aannemen en de boodschap aannemen, bevestigen en terug- koppelen naar de klant toe.

De ondersteunende activiteiten

- **Verwerving**
Verwerving heeft te maken met de inkoop van al die 'grondstoffen' die in het facilitaire proces worden gebruikt. Daaronder valt niet alleen de koffie en suikerzakjes, maar ook het selecteren van leveranciers en externe partijen en het inhuren van adviseurs. Ook ten aanzien van de facilitaire dienstverlening geldt: rotzooi in is rotzooi uit. Met de inkoop van alles rondom de dienst- verlening is doorgaans een aanzienlijk bedrag gemoeid en een paar procent besparing op de inkoop levert dan ook al een behoorlijke 'bezuiniging' op. Daarnaast is de kwaliteit van het eindproduct zo goed als de kwaliteit van de inkoopgoederen. De verwerving zal in die zin een belangrijk effect hebben op het kostenniveau en een enigszins belangrijk effect hebben op de toegevoeg- de waarde van diensten van de facilitaire organisatie. Niet onbelangrijk is ook het effect van het aanschaffen van 'het juiste gereedschap' op de moti- vatie van de facilitaire medewerkers. Wanneer de facilitaire medewerkers goed zijn uitgerust met materiaal en materieel zal daar een stimulans vanuit gaan wat weer van invloed is op de kwaliteit van de dienstverlening.

- **Technologie-ontwikkeling**
Inspanningen om de diensten en het dienstverleningsproces te verbeteren. De mate waarin de facilitaire organisatie zich bewust bezighoudt met

vernieuwing en verbetering van de diensten en het dienstverleningsproces is van invloed op de concurrentiepositie op de lange termijn. De facility manager zou innovatie-ideeën op het gebied van efficiency en capaciteits-management moeten stimuleren en belonen. De belangrijkste grondstof voor facilitaire dienstverlening is immers tijd. En tijd die eenmaal verloren is gegaan komt nooit meer terug. De facilitaire dienstverlener die in staat is om het dienstverleningsproces telkens zo effectief en efficiënt mogelijk te laten verlopen behaalt daarmee belangrijke concurrentievoordelen.

- **Personeelsbeleid**
  De activiteiten die betrekking hebben op het werven, huren, trainen, ontwikkelen en belonen van alle soorten personeel. Facilitaire dienstverlening is en blijft mensenwerk. De kwaliteit staat en valt dan ook voornamelijk met de kwaliteit van het dienstverlenend personeel. Daar waar allerlei commerciële dienstverleners gekwalificeerd en gemotiveerd personeel werven is het personeelsbeleid bij de facilitaire organisatie vaak niet meer dan een matige afgeleide van dat van het bedrijf of instelling waarvoor ze haar diensten verleent. Maar om een klantgerichte en professionele organisatie neer te zetten is meer nodig dan personeel dat heel goed heeft gefunctioneerd op andere afdelingen binnen het bedrijf en als gevolg van bepaalde ontwikkelingen in de facilitaire organisatie terecht zijn gekomen. De facility manager zal de kwalitatieve achterstand qua personeel, als die er is tenminste, moeten zien in te halen door het voeren van een gedegen personeelsbeleid. In de dienstverlening zal de organisatie met het beste en meest gemotiveerde personeel uiteindelijk het meeste voordeel weten te behalen op de concurrentie.

- **Infrastructuur**
  De activiteiten die de gehele waardeketen ondersteunen. De infrastructuur heeft te maken met de structuur van de facilitaire organisatie, het management, het financiële beheer, de communicatielijnen tussen de verschillende disciplines et cetera. Veel van de infrastructuur heeft te maken met de organisatie van de back office. Er vanuit gaande dat deze gewoon goed moet zijn geregeld is het vermogen om daarmee concurrentievoordeel te behalen gering. Een waardeloze back office in samenhang met een perfecte front office leidt tot inefficiëntie. Een perfecte back office in samenhang met een waardeloze front office leidt tot ontevreden klanten. Een basis voor concurrentievoordeel wordt daarom bereikt wanneer beide goed op elkaar zijn afgestemd en elkaar aanvullen. De infrastructuur legt hiervoor de juiste fundering.

De waardeketenanalyse dwingt de facility manager om alle activiteiten die worden ontplooid eens kritisch onder de loep te nemen en de specifieke activiteiten die de kosten opdrijven of toegevoegde waarde leveren er uit te lichten. Het model is in die zin zeer waardevol voor de bewustwording van het dagelijkse reilen en zeilen en de begripsvorming voor de individuele prestaties ten opzichte van de concurrentie.

4.2.3. Klantgerichtheidsonderzoek

Om aan het licht te brengen tot wat de facilitaire organisatie in staat is als het gaat om klantgericht te opereren biedt een klantgerichtheidsonderzoek uitkomst. Het doel van dit onderzoek is het blootleggen van klantonvriendelijkheden die zitten in het systeem en de procedures, maar ook in de mentaliteit en discipline van de facilitaire medewerkers. Middels een persoonlijke enquête onder de facilitaire medewerkers kunnen dan zaken als de interne samenwerking, de communicatie- en overlegstructuren, de besluitvorming, de houding ten aanzien van de klant et cetera worden onderzocht. Wanneer de facility manager op een professionele klantgerichte wijze invulling wil geven aan de facilitaire dienstverlening binnen het bedrijf of instelling, zullen in eerste instantie de medewerkers ook stuk voor stuk een klantgerichte houding moeten innemen. De facilitaire prestatie is en blijft voor het grootste gedeelte mensenwerk en als de medewerkers niet de juiste instelling of kwaliteiten hebben om het uitgestippelde beleid waar te maken, is al het werk voor niets geweest. Het klantgerichtheidsonderzoek geeft in die zin de huidige stand van zaken weer en kan dienen als vertrekpunt voor allerlei trainingsprogramma's voor de facilitaire medewerkers.

Klantgericht houdt in dat de facilitaire medewerkers de klant, de pandbewoners en gasten, als het meest belangrijke zien in hun werk. De klant is de bestaansreden van de facilitaire organisatie en het bestaansrecht verwerft ze door de behoeften van deze klant centraal te stellen bij haar handelen. Hieruit vloeit de marketinggedachte voort: als organisatie de wensen en verlangens van de afnemers centraal stellen bij het handelen. Klantgerichtheid volgt vanzelfsprekend uit de acceptatie van deze marketinggedachte. Klantgerichtheid blijkt uit het handelen, de manier van optreden en de communicatie bij alle contacten die er zijn tussen de facilitaire medewerkers en de klant, zowel schriftelijk, telefonisch, electronisch als persoonlijk. Als een bezoeker z'n auto alleen maar achteraan op het parkeerterrein kwijt kan omdat de parkeerplaatsen vooraan voor de directie zijn gereserveerd, is dat een signaal dat er niet erg klantgericht over het parkeerbeleid wordt nagedacht. Zo ver gaat klantgerichtheid uiteindelijk.

Om een klantgerichtheidsonderzoek uit te voeren zullen eerst normen opgesteld moeten worden, die de klantgerichthheid bepalen. Dit kan per organisatie en per dienst verschillen en zal dus ook per dienst bezien moeten worden. De navolgende opsomming is een voorbeeld van hetgeen in alle vormen van dienstverlening als klantgericht wordt ervaren:

- Vakjargon vermijden, niet wachten tot de klant naar u toekomt maar zelf het initiatief houden, vragen stellen, uitgaan van de klant in plaats van het product of de dienst, denken in mogelijkheden in plaats van belemmeringen, begrip tonen voor ergernis, excuses aanbieden voor gemaakte fouten, samen zoeken naar oplossingen, duidelijke en concrete afspraken maken en nakomen, het samenspel tussen de afdelingen versterken, geen schuld afschuiven, de uitvoering controleren, meedenken en goed luisteren, de klant erkenning geven, de klant waarderen, een goede werksfeer creëren, een vriendelijke bediening, de telefoon snel opnemen, gemaakte fouten (snel) herstellen, een verzorgd voorkomen, je werk graag doen et cetera.

Specifiek betekent klantgerichtheid voor een schoonmaker bijvoorbeeld geen nare lichaamsgeurtjes met zich meedragen, voor een cateraar niet roken achter het buffet en voor een servicemonteur de plaats van het karwei schoon en verzorgd achterlaten et cetera. Om achter de houding ten aanzien van de klant van de afzonderlijke medewerkers te komen, kan een mogelijke vraagstelling zijn:
• Wat wil uw klant van u?
• Wat doet u of uw afdeling?
• Wat belemmert effectieve uitvoering van uw werk?
• Hoe kunt u klanten winnen c.q. behouden?

4.3. De confrontatie

De externe en interne analyse zijn uitgevoerd om de uiteindelijke strategische aandachtspunten boven water te krijgen. Dit zijn de kernelementen die een mogelijk probleem voor de continuïteit van de facilitaire organisatie op de lange termijn kunnen gaan vormen. De identificatie van de strategische aandachtspunten vindt plaats door het uitvoeren van een zogenaamde SWOT-analyse en deze te plaatsen in het licht van de kerncompetenties van de facilitaire organisatie. Dan ontstaat er zicht op de mogelijke groeirichtingen om toekomstig succes zeker te stellen.

4.3.1. De SWOT-analyse

Met de SWOT-analyse (Strengths, Weaknesses, Opportunities en Threats, ofwel sterktes, zwaktes, kansen en bedreigingen) worden de belangrijkste sterktes en zwaktes afgezet tegen de belangrijkste omgevingsveranderingen. Het beeld dat hiermee ontstaat geeft zicht op de strategische aandachtspunten of kernproblemen van de facilitaire organisatie. De strategische aandachtspunten zijn die kwesties waarop de facilitaire organisatie nu actie moet ondernemen om haar voortbestaan op de lange termijn zeker te stellen.

Voor de uitvoering van de SWOT-analyse kan een confrontatiematrix worden gebruikt. Door op de verticale as de belangrijkste sterktes en zwaktes te plaatsen en op de horizontale as de belangrijkste omgevingsveranderingen, ontstaat er een raamwerk waarin de onderlinge relaties kunnen worden aangegeven. Door iedere omgevingsverandering te beoordelen in het licht van de sterktes en zwaktes ontstaat er een patroon waarin de kernproblemen en de strategische mogelijkheden zichtbaar worden.
In het voorbeeld van figuur 4.6zijn de sterktes van de facilitaire organisatie de prima motivatie van de medewerkers en de in hoge mate aanwezige vakkennis. Als zwaktes zijn er het hoge kostenniveau als gevolg van een grote stafafdeling, de verouderde systemen waarmee men werkt (geen

	Toenemend belang FM	Groeiende organisatie	Kritische klanten	Verantwoorde dienstverlening	Toenemende app. dichtheid
Motivatie	+	+	+	+	-
Vakkennis	+	+	+	0	-
Hoge kosten	-	-	0	-	
Oude syst.	-	-	0	-	0
Funct. org.	0	-	-	-	0

Figuur 4.6. De confrontatiematrix.

automatisering, handmatige aansturing et cetera) en de functioneel ingerichte organisatie, waardoor het onderling afstemmen van werkzaamheden moeilijk is. De belangrijkste kansen dienen zich aan in de vorm van het toenemende besef van het belang van facility management bij de organisatieleiding en de groei van de organisatie waardoor er steeds meer behoefte zal komen aan facilitaire dienstverlening. De bedreigingen worden gevormd door de kritische afnemers, de roep naar verantwoorde dienstverlening (integraal en kosteneffectief) en een toenemende apparatendichtheid in z'n algemeenheid. De score is een '+' wanneer de facilitaire organisatie in staat is om voordeel te halen uit een kans of een bedreiging teniet te doen, de score is een '-' wanneer een sterkte wordt afgezwakt door een omgevingsverandering en een zwakte de organisatie verhindert om te gaan met een omgevingsverandering of de zwakte nog erger maakt.

Het beeld dat nu is ontstaan geeft aan dat deze facilitaire organisatie te kampen heeft met het probleem dat ze als gevolg van het hoge kostenniveau en de 'ouderwetse' werkwijze geen verweer kan voeren tegen de belangrijkste omgevingsontwikkelingen die wijzen richting integrale en verantwoorde dienstverlening, ondanks dat facilitaire dienstverlening als gevolg van de groei van de organisatie steeds belangrijker wordt. Tenzij de facility manager nu stappen onderneemt om z'n organisatie vooral efficiënter te laten opereren, is het binnen de kortste keren gedaan met deze facilitaire organisatie en zullen marktpartijen die een laag kostenniveau hebben en een flexibele dienstverlening kunnen waarmaken het overnemen.

4.3.2. De kerncompetenties

De kerncompetenties of core competences van de facilitaire organisatie zijn die sterktes die de organisatie voordeel verschaffen op de concurrentie. Het zijn de vaardigheden van het personeel en de bronnen van de organisatie (productie-eenheid, locatie, serviceniveau, distributie) die gezamenlijk leiden tot onderscheidend vermogen ten opzichte van de concurrentie. Juist in de dienstverlening bepalen vooral de vaardigheden van het (contact)-personeel of de organisatie is opgewassen tegen of het beter doet dan de concurrentie. Kerncompetenties kunnen met behulp van de waardeketenanalyse naar voren worden gebracht.

Ten aanzien van kerncompetenties moeten we ons de vraag stellen: is dat-gene waar we echt goed in zijn wel goed genoeg om onze positie te hand-haven of te verbeteren. De uitgevoerde SWOT-analyse zal in dit licht bezien moeten worden om te kunnen aangeven waarop de facilitaire organisatie kan voortbouwen om de aangegeven kernproblemen op te lossen. Wanneer als gevolg van de veranderende omgeving en toenemende concurrentie de facilitaire organisatie moet overschakelen op het toepassen van geautomati-seerde systemen, maar de medewerkers zijn hiervoor te laag opgeleid, zijn niet gemotiveerd, hebben angst voor het nieuwe en zitten allemaal tegen hun VUT-leeftijd aan, zal het vrijwel onmogelijk zijn om de gewenste groei-richting met succes in te slaan. Als de gehele facilitaire organisatie bestaat uit technici en één van de strategische aandachtspunten is klantgerichte en marktconforme dienstverlening, vereist dit in feite een ander type mede-werker. Om te beoordelen of de kerncompetenties inderdaad robuust genoeg zijn om van enig strategisch belang te kunnen zijn kan men zich de volgende vragen stellen:

- Wie *bezit* de kerncompetentie?
  De organisatie als geheel of slechts bepaalde personen die naar de concurrentie kunnen overstappen.

- Hoe *duurzaam* zijn de kerncompetenties?
  Zijn ze gebouwd rondom snel wisselende technieken of levenscycli dan is het voordeel ook slechts van korte duur.

- In welke mate zijn de kerncompetenties *overdraagbaar?*
  De mate waarin concurrenten gelijke competenties kunnen verwerven kan sterk wisselen. Bij grondstoffen ligt het voor de hand, bij een merknaam absoluut niet.

- In welke mate zijn de kerncompetenties *repliceerbaar?*
  De dreiging van imitatie komt voort uit het feit dat concurrenten dezelfde competenties kunnen ontwikkelen.

De kerncompetentie van een facilitaire organisatie kan bijvoorbeeld zijn een hoge servicegraad en klantgerichtheid waardoor men in staat is om op ieder verzoek van de klant te reageren en een hoge klanttevredenheid aan de dag weet te leggen. Wanneer er echter een duidelijke overgang plaatsvindt van persoonsgebonden dienstverlening naar geïndustrialiseerde dienstverlening (apparatuur) is deze sterkte van geen enkele waarde. Op deze wijze zullen de strategische aandachtspunten stuk voor stuk bezien moeten worden. Als blijkt dat de organisatie met de aanwezige kerncompetenties niet in staat is om adequaat te reageren op de veranderende omgeving, zal men zich de vraag moeten stellen of de benodigde kerncompetenties verworven kunnen worden.

4.4. De strategische besluitvorming

Nu de strategische aandachtspunten aan het licht zijn gekomen en de kerncompetenties zijn aangegeven, zal er een beslissing genomen moeten worden over de te volgen koers om de toekomstige concurrentiepositie zeker te stellen. Hiervoor worden allereerst doelstellingen geformuleerd die we als facilitaire organisatie voor ogen houden om de aandacht en energie te kunnen richten. Vervolgens worden er verschillende strategische opties aangegeven die allemaal op hun beurt getoetst zullen worden op toepasselijkheid, haalbaarheid en aanvaardbaarheid om ten slotte tot de meest geschikte marketingstrategie te komen die we kunnen gaan uitwerken.

4.4.1. De doelstellingen

De doelstellingen voor de facilitaire organisatie zullen niet zondermeer door het management van de onderneming opgelegd moeten worden. Zo'n passieve rol past niet bij de klantgerichte marktconforme facilitaire organisatie. De doelstellingen dienen door het management in goed overleg met de facility manager opgesteld te worden of wellicht zelfs uitonderhandeld te worden. De rendementseisen van het management als aandeelhouders van de facilitaire organisatie maken daarvan uiteraard een belangrijk onderdeel uit. Echter, met alle voorgaande informatie kan de facility manager veel verder gaan dan alleen maar het volgen of najagen van deze rendementseisen. Hij zal moeten zorg dragen dat er rendementseisen worden gesteld die ook daadwerkelijk realiseerbaar zijn. Het moeten verlenen van kwalitatief hoogstaande persoonlijke diensten met een volstrekt te laag budget en te weinig kwalitatief personeel is een 'mission imposible' bij uitstek. Daarnaast kan de facility manager heel goed zelf met verbeteringsvoorstellen komen richting het management en additionele doelstellingen formuleren. De voorgaande analyses zijn daarvoor zijn bagage. De uiteindelijke doelstellingen die voor de facilitaire organisatie worden geformuleerd zullen zijn afgeleid van de ondernemingsdoelstellingen en zullen deze ook moeten ondersteunen. De strategische richting van de facilitaire organisatie volgt daarmee die van de onderneming als geheel.

Waar doelstellingen al heel concreet zijn kan vaak het beste begonnen worden met het stellen van doelen, die veel algemener van aard zijn. Ook is het zinvol om onderscheid aan te brengen tussen de verschillende soorten doelen, zoals algemene organisatiedoelen, financiële doelen, marketingdoelen en personele doelen bijvoorbeeld. Hiermee wordt voorkomen dat er een te eenzijdige gerichtheid ontstaat. De doelen ten aanzien van de facilitaire organisatie kunnen bijvoorbeeld zijn:

* Doelmatige communicatie.
* Imago van de huisvesting verbeteren.
* Stimulering van de productiviteit.
* Kostenbeheersing en het kostenbewustzijn stimuleren.
* Efficiënt omgaan met beschikbare ruimte.

- Een professionele en klantgerichte werkwijze nastreven.
- Et cetera.

Als de onderneming zich ten doel heeft gesteld om flexibel te kunnen opereren met een optimum aan communicatie, zal de facility manager iets moeten doen aan doelmatige communicatie en bijvoorbeeld de bereikbaarheid van het bedrijf. Als een ondernemingsdoel luidt: 'het terugdringen van de kosten', zal de facility manager als doel moeten opnemen dat de klant, de pandbewoners, meer kostenbewust worden en dat er efficiënt met de beschikbare ruimte wordt omgegaan, zodat wellicht kleiner kan worden gehuisvest. Als een ondernemingsdoel luidt: 'het uitgroeien tot een bedrijfsmatig werkende, professionele, efficiënte, betrouwbare en vooral klantgerichte organisatie die een breed scala aan hoogwaardige producten en diensten aanbiedt' betekent dit voor de facilitaire organisatie dat ze een flexibele, marktconforme, klantgerichte en verantwoorde dienstverlener zal moeten worden. De geformuleerde doelen zullen vervolgens vertaald moeten worden naar concrete doelstellingen ten aanzien van de facilitaire organisatie, zoals bijvoorbeeld:

- 10 % besparing op catering- en energiekosten.
- 20 % meer productiviteit = 20 % minder verstoring van het primaire proces, ofwel 20 % minder klachten en storingen ten opzichte van de vorige periode.
- 30 % minder ruimte benutten, ofwel minder vierkante meters huren.
- Een hoge mate van klantgerichtheid bij alle facilitaire medewerkers bewerkstelligen.
- Binnen een jaar een gemiddelde scoren van een 7 in de halfjaarlijkse klanttevredenheidsonderzoeken.
- Maximaliseren van geautomatiseerde ondersteuning van de administratieve processen.
- Et cetera.

De doelstellingen die worden geformuleerd moeten te controleren zijn op realisatie. Hiervoor zal er een periode of deadline aangegeven moeten worden waarbinnen de doelstelling gerealiseerd moet zijn. Het ligt voor de hand om deze periode gelijk te stellen met de planningshorizon van de nog te ontwikkelen marketingstrategie, echter noodzakelijk is dat niet. De marketingstrategie heeft doorgaans betrekking op een periode van zo'n 1 tot 3 jaar. Doelstellingen kunnen bijvoorbeeld binnen een aantal maanden gerealiseerd moeten zijn (denk aan het opzetten van een klanttevredenheidsonderzoek) of een periode van 10 jaar bestrijken als het gaat om herhuisvestingsplannen.

Voor de controle geldt dat bepaalde doelstellingen heel goed meetbaar zijn en anderen weer veel minder. Denk in dit voorbeeld aan het terugdringen van de klachten en storingen om de productiviteit te verhogen. Het aantal klachten en storingen is prima te meten, maar het zegt nog niets over de hoeveelheid tijd die ermee gemoeid is om ze op te lossen, laat staan dat precies meetbaar is wat het oplevert aan extra productiviteit in uren gemeten voor de werknemers. Van andere doelstellingen is weer heel concreet aan te tonen of ze wel of niet zijn gehaald. Het halen van een energiebesparingsdoelstelling is heel goed aantoonbaar door de energierekening van het voorgaande jaar te vergelijken met die van dit jaar. Enige correctie als gevolg van het aantal werknemers dat fluctueert en de gemiddelde temperatuur die kan verschillen is dan nog wel nodig, maar het verschil tussen beide cijfers is een keihard feit.

Professionele klantgerichte facilitaire dienstverlening begint aldus bij het formuleren van doelstellingen. Alle vervolgstappen die worden ondernomen worden hiervan afgeleid. En als er consensus is bereikt met het management over de geformuleerde doelstellingen, is er de garantie dat er ook daadwerkelijk geld vrijkomt voor het trainen van de medewerkers en het investeren in informatietechnologie zoals in dit voorbeeld werd aangegeven.

4.4.2. Keuze van de basisstrategie

Het bestaansrecht van de facilitaire organisatie hangt niet alleen af van de visie en het beleid van de ondernemingsleiding, het budget dat zij als aandeelhouders beschikbaar stellen en het rendement dat ze ervoor terug verwachten. Ook de positie die de facilitaire organisatie inneemt binnen haar concurrentie-omgeving bepaalt de winstgevendheid of toegevoegde waarde en daarmee het bestaansrecht van de facilitaire organisatie. Om het bestaansrecht zeker te stellen zal de facilitaire organisatie een boven-gemiddelde prestatie op de lange termijn aan de dag moeten weten te leggen, ze zal een zogenaamd verdedigbaar concurrentievoordeel moeten creëren en zien te behouden. Hiervoor bestaan volgens Porter (1980) een tweetal fundamentele manieren: lage kosten en differentiatie. Gecombineerd met het bereik van de activiteiten, zeg maar de doelgroep voor wie de facilitaire organisatie haar activiteiten ontplooit, hetgeen een brede of een smalle doelgroep kan zijn, leidt dit vervolgens tot drie generieke concurrentiestrategieën: kostenleiderschap, differentiatie en focus. De generieke concurrentiestrategie vormt voor commerciële facilitaire ondernemingen de basis waarop zij concurrentievoordeel creëren en behouden en voor een interne facilitaire organisatie de basis die zij verkiest om de kwaliteit van haar diensten te behouden binnen de overeengekomen grenzen.

Conc. voordeel Concurrentiebereik	Lage kosten	Differentiatie
Breed doelgebied	1. Kostenleiderschap	2. Differentiatie
Smal doelgebied	3.a. Kostenfocus	3.b. Differentiatiefocus

Figuur 4.7. De generieke concurrentiestrategieën.

Drie generieke concurrentiestrategieën:

- **Kostenleiderschap**
  De onderneming probeert om het goedkoopst in zijn bedrijfstak te produceren door het behalen van schaalvoordelen, de beschikking te hebben over bepaalde technologie, een voorkeurspositie voor toegang tot bepaalde grondstoffen en andere factoren.

- **Differentiatie**

  De onderneming probeert om uniek te zijn volgens enkele dimensies die door kopers gewaardeerd worden. Differentiatie kan gebaseerd zijn op het product zelf (duurzaamheid, service, imago, beschikbaarheid van reserve-onderdelen), het leveringssysteem waardoor het wordt verkocht, de marketingbenadering en een breed scala van andere factoren. Deze positie is houdbaar indien de prijstoeslag de extra kosten die gepaard gaan met het uniek zijn overtreft.

- **Focus**

  De onderneming kiest een segment of een groep segmenten in zijn bedrijfstak en stemt zijn strategie op het dienen van hen af. Bij een kostenfocus zoekt een bedrijf een kostenvoordeel in zijn doelsegment, terwijl bij differentiatiefocus een bedrijf differentiatie zoekt in zijn doelsegment. Beide varianten berusten op verschillen tussen het doelsegment en de andere segmenten in de bedrijfstak.

Deze generieke strategieën zullen naar de situatie van de facilitaire organisatie vertaald moeten worden wil ze er daadwerkelijk concurrentievoordeel uit kunnen putten. Noch lage (productie)kosten noch unieke (technische) producteigenschappen leveren concurrentievoordeel op, als het geen waarde heeft voor de klanten en het management. Deze vertaling wordt gemaakt door te redeneren vanuit voordeel voor de klant. Klanten kopen het ene product in plaats van het andere omdat:
- De *prijs* van het product lager is dan dat van concurrenten met een gelijkwaardig aanbod.
- De gepercipieerde *toegevoegde waarde* van het product hoger is dan dat van concurrenten.
Op basis hiervan kan de facilitaire organisatie een geschikte concurrentiestrategie ontwikkelen.

De gekozen strategie vindt zijn vertaling vervolgens in het dienstverleningsconcept dat de facilitaire organisatie hanteert. Hierbij kan ze kiezen uit *zelfbediening, maatwerkbediening* of *standaardbediening*. We zagen deze indeling al eerder bij het aangeven van het specifieke werkterrein waarin de facilitaire organisatie actief is. Het is de technologie die wordt gehanteerd om de behoefte van de klant in te vullen en is in feite een indeling van dienstverlening naar de toegevoegde waarde die door de dienstenleverancier wordt geleverd. Bij zelfbediening brengt de klant grotendeels zelf de dienst voort of wordt er zoveel mogelijk gebruik gemaakt van geïndustrialiseerde vormen van dienstverlening door middel van allerlei apparatuur en machines. Bij maatwerkbediening wordt iedere dienst specifiek voor de afnemer geproduceerd waarbij een minimale inspanning of participatie van de klant wordt nagestreefd. Het verschil tussen beide kan goed met het bedrijfsrestaurant als voorbeeld worden aangegeven. Bij het zelfbedieningsconcept loopt er in het bedrijfsrestaurant geen personeel rond, anders dan voor het aanvullen van bepaalde voorraden. De klant pakt alles zelf, schept alles zelf op en loopt vervolgens met zijn dienblad langs de kassa om af te rekenen. Bij maatwerkbediening gaat de klant aan tafel zitten om vervolgens z'n bestelling door te geven aan het bedienend personeel. Het enige wat de klant moet doen is een keuze maken uit het aanbod en de maaltijd nuttigen. Bij standaardbediening loopt de klant met zijn dienblad langs een aantal counters, alwaar bedienend personeel het eten aanreikt en bepaalde etenswaren op bestelling maakt.

Een echte prijsstrategie komt tot uiting in zelfbediening en een differentiatiestrategie komt tot uiting in maatwerkbediening. Ondanks dat wellicht alle facilitaire diensten voor zelfbediening in aanmerking komen (in het uiterste geval maken de pandbewoners bijvoorbeeld hun eigen werkplek schoon), zal volledige zelfbediening in de praktijk niet voorkomen. Het verlies aan productiviteit van de pandbewoners, die dan immers veel tijd kwijt zijn aan het 'produceren' van de diensten, weegt niet op tegen de kostenbesparing die met zelfbediening wordt gerealiseerd. Dat is dan ook de reden dat het dienstverleningsconcept veelal een mix is van de drie genoemde alternatieven. Afhankelijk van de gehanteerde concurrentiestrategie zullen er meer of minder elementen van een bepaald dienstverleningsconcept terug te vinden zijn in het facilitaire dienstenaanbod.
Bij het voeren van een prijsstrategie probeert de facilitaire organisatie om verantwoorde dienstverlening aan de dag te leggen, waarbij er kosten worden bespaard op die onderdelen die voor het management en de klanten het meest passend zijn. Een verantwoorde prijsstrategie voorkomt ook dat er aan de ene kant vele duizenden guldens worden bespaard die aan de andere kant weer net zo gemakkelijk en hard worden uitgegeven. Een besparing van ƒ 100.000,00 op de catering lijkt aantrekkelijk. Maar als het gevolg hiervan is dat medewerkers vaker en langer buiten het gebouw gaan lunchen, wordt de besparing teniet gedaan door het verlies aan productiviteit en werkpleksatisfactie. Voor het voeren van een prijsstrategie is het belangrijk om te weten waar de kosten ontstaan binnen de organisatie. Als dit begrip er is kan de facility manager een beleid uitstippelen dat in de meest optimale vorm de kostendrijvers vermijdt en de kostenvoordelen uitspeelt of gebruikt als basis voor een differentiatiestrategie. Weten waar de concurrentie kwetsbaar is ten aanzien van de kosten geeft daarbij mogelijkheden om nog meer gebruik te maken van de eigen kostenvoordelen op die aspecten.

Voor het voeren van een differentiatiestrategie is het van cruciaal belang dat de behoeften en waarden van de klant zijn begrepen. Uniciteit moet immers in klantentermen worden gedefinieerd. Hoe meer de differentiatie daarbij is gebaseerd op niet tastbare aspecten van de facilitaire dienstverlening en organisatie, hoe kleiner de kans is op imitatie van concurrenten. Daarbij heeft de facilitaire organisatie een enorm voordeel ten opzichte van externe aanbieders, namelijk dat ze de klant al kent. Deze troefkaart kan en moet ook worden uitgespeeld door de bekwame facility manager. Het is een voorsprong in tijd en informatie op de concurrentie. En het voordeel van de tijd en kennis weegt nog altijd zwaarder dan het voordeel van de sterkte.

4.4.3. Richting geven aan de strategie

De richting geeft aan op welke product/markt-combinaties de facilitaire organisatie zich, gezien de huidige producten en afnemers die ze bedient, gaat begeven. Om deze strategische richting te bepalen kunnen we onder andere gebruik maken van de zogenaamde groeistrategieën van Ansoff (1968).

Product Markt	Bestaand	Nieuw
Bestaand	Terugtrekking Consolidatie Marktpenetratie	Productontwikkeling
Nieuw	Marktontwikkeling	Gerelateerde diversificatie: achterwaartse, voorwaartse en horizontale integratie

Figuur 4.8. Ontwikkelingsstrategieën.

Het uitgangspunt voor het aangeven van de strategische richting is altijd de huidige marktdefinitie en de geselecteerde doelgroepen. Deze product/markt-omgeving is bijvoorbeeld in kaart gebracht middels het Abell-schema. Het aangegeven concurrentieniveau wordt dan als uitgangspunt genomen voor het aangeven van de strategische alternatieven. De markt zoals in het schema vermeld staat voor de doelgroepen of afnemers die de facilitaire organisatie nu bedient en het product staat voor het dienstenpakket dat de facilitaire organisatie aanbiedt aan deze doelgroepen.

* **Terugtrekking**
  Een terugtrekkingsstrategie komt neer op het afschaffen of afstoten van bepaalde diensten die door de facilitaire organisatie voorheen zelf werden verleend. Indien een andere partij, een externe dienstverlener, dit 'gat' vervolgens opvult wordt de dienst uitbesteedt door het management. De facilitaire organisatie kan hiertoe zelf ook overgaan, door diensten van buitenaf in te kopen. Het schrappen van bepaalde diensten door de facilitaire organisatie hoeft niet in alle gevallen te leiden tot uitbesteding aan derden. Dat hangt geheel van de noodzaak van de dienst af en het belang dat er aan wordt gehecht. In die zin verdwijnen bepaalde diensten op een gegeven moment gewoon. Wanneer de bedrijfskleding bijvoorbeeld wordt afgeschaft zal de verzorging en reiniging van deze kleding niet door een derde partij worden overgenomen. Terugtrekking kan een aantal redenen hebben:

  * Terugtrekking uit een markt genereert geld voor andere markten. Wanneer een bepaalde dienst wordt afgeschaft zou dit kunnen betekenen dat de facilitaire organisatie meer financiële armslag krijgt voor andere zaken. Hierbij wordt wel vooropgesteld dat ook het management bereid is om de ene dienst op te offeren voor iets anders. De facilitaire kosten hoeven hierdoor namelijk niet af te nemen, alleen de invulling is anders. Het afschaffen van de bedrijfskleding kan bijvoorbeeld worden gebruikt om geld te genereren voor het verbeteren of creëren van eigen vergaderfaciliteiten.

- Gedeeltelijke terugtrekking door 'licentieverstrekking' aan derden. Als blijkt dat een bepaalde dienst goedkoper, kwalitatief beter en effectiever kan worden uitgevoerd door een andere leverancier, dan is gedeeltelijke terugtrekking van de facilitaire organisatie in dat geval de meest verstandige keuze. De licentieverstrekking bestaat er dan uit dat met een commerciële marktpartij een contract wordt afgesloten waarin de uitvoering en randvoorwaarden van de diensten worden geregeld. Deze vorm van uitbesteding wordt dus niet 'opgedrongen' door het management, maar is het gevolg van een goed doordachte actie van de facility manager.

- **Consolidatie**
  Consolidatie betekent dat de facilitaire organisatie dezelfde producten en diensten blijft aanbieden aan dezelfde klanten, alleen haar werkwijze verandert. Dit kan ook het gevolg zijn van de overgang van maatwerkbediening op zelfbediening en vice versa. De werkwijze verandert weliswaar, maar het hoeft niet de dienst op zich te veranderen: koffieverstrekking blijft koffie koffieverstrekking, ongeacht of er nu een serveerster of een automaat aan te pas komt. Bij het volgen van een consolidatiestrategie kan de facility manager de nadruk leggen op:
  - Kwaliteitsverbetering.
  - Toename van de marketingactiviteiten.
  - Verbeteren van de kostenstructuur.
  - Een hogere productiviteit van de eigen medewerkers bewerkstelligen.
  - Contracten met externe dienstverleners openbreken en aanpassen.
  - De capaciteit van de eigen organisatie tijdelijk of permanent inkrimpen.
  - Overgaan tot het leasen van bepaalde faciliteiten in plaats van kopen.
  - Et cetera.

  Bij een consolidatiestrategie passen allerlei kosten- of efficiency- en effectiviteitsprogramma's ten aanzien van de organisatie zelf, de medewerkers en het dienstenaanbod. Het snijden in de kosten is uiteraard populair in de ogen van de aandeelhouders, maar hoeft niet altijd de meest geijkte weg te zijn naar een beter resultaat. Cultuursessies, motivatie- en klantgerichtheidstrainingen passen ook in een consolidatiestrategie. Personeel vormt bij dienstverlenende organisaties, nu eenmaal een speerpunt en door hetzelfde beter te doen kan veel worden bereikt. Uitspraken als "We make things better" van Philips of "We try harder" van Avis geven bijvoorbeeld aan dat men wil groeien binnen de huidige product/markt-combinaties door zichzelf continu te verbeteren. Door het huidige aanbod minder toegankelijk te maken voor de huidige afnemers, volgt de facilitaire organisatie ook een consolidatiestrategie. De term 'consuminderen' wordt hiervoor wel eens gebruikt: voorkomen dat de klant gaat overvragen. Consolideren wil dan eigenlijk zeggen: minder facilitaire diensten verlenen of minder aanleiding geven tot facilitaire dienstverlening.

- **Marktpenetratie**
  Een penetratiestrategie is er voor commerciële ondernemingen op gedoeld om met het huidige aanbod meer zien te verkopen aan de huidige afnemers.

Op die manier wordt een groter marktaandeel verkregen. Echter voor de facilitaire organisatie is niet het vergroten van het 'marktaandeel' de focus, maar draait het eerder nog om consuminderen: een vermindering van het beroep op facilitaire dienstverlening met behoudt of verbetering van de productiviteit. Marktpenetratie is dan ook het beter afstemmen van het huidige aanbod op de huidige afnemers past hierbij. Uit de afnemersanalyse kan bijvoorbeeld zijn gebleken dat niet alle bedrijfsclusters of afdelingen dezelfde behoefte aan diensten hebben. Door die afnemersgroepen datgene te bieden wat ze verlangen, binnen de gestelde grenzen van de dienstverlening, kan tot een zekere mate van besparing worden gekomen, omdat er minder overvloed wordt geboden. Marktpenetratie betekent in die zin een *herverdeling of optimalisering van het dienstenaanbod over de gegeven afnemersgroepen*. De implementatie van een servicedesk om verzoeken tot dienstverlening te stroomlijnen is hiervan een goed voorbeeld. Ook een vorm van marktpenetratie is wanneer op het huidige dienstenaanbod allerlei verfijningen of uitbreidingen worden aangebracht. Het bedrijfsrestaurant komt met een uitgebreidere menukaart of naast zwart-wit copieën kan er nu ook in kleur worden gecopieerd. Als dit een wens is vanuit de markt wat niet meteen een stijging van de facilitaire kosten tot gevolg heeft, is het een prima uitbreiding.

- **Marktontwikkeling**
  Marktontwikkeling is met het huidige dienstenaanbod een nieuwe groep gebruikers of afnemers benaderen. Erg dicht bij huis vertaalt het zich in het aanbieden van bepaalde facilitaire diensten aan pandbewoners die daar voorheen nog niet voor in aanmerking kwamen. Bijvoorbeeld de werkplekcatering die voorheen slechts voor de directie was weggelegd wordt dan ook aan alle andere pandbewoners aangeboden. Marktontwikkeling leidt in die zin wel eerder tot een verhoging van de consumptie dan tot een beperking ervan. Marktontwikkeling kan zich ook vertalen in het exploiteren van interne diensten op de externe markt. Deze aanpak is vooral geschikt voor organisaties die diensten aanbieden die gekoppeld zijn aan een kapitaalintensieve productie, om zo hun risico te spreiden en beschikbare capaciteit optimaal te benutten. Met name de huisdrukkerij, het bedrijfsrestaurant en de keuken op zich lenen zich hier goed voor. Enkele voorbeelden hiervan zijn:
  - Het verzorgen van drukwerk en repro-diensten voor andere bedrijven.
  - Het openstellen van het bedrijfsrestaurant voor medewerkers van andere bedrijven en particulieren.
  - Het exploiteren van de vergaderfaciliteiten.
  - Het uitlenen van kunst aan andere bedrijven en instellingen.
  - Indien de facilitaire organisatie beschikt over eigen transportmiddelen kunnen vervoersdiensten worden aangeboden aan bedrijven en instellingen.
  - Et cetera.

Of er nu drukwerk voor de eigen organisatie wordt gemaakt of voor een ander bedrijf maakt in feite niet uit. Nu zal alleen het openstellen van het bedrijfsrestaurant voor buitenstaanders niet voor iedere organisatie even geschikt zijn. Bedrijven en instellingen met een publiekelijk toegankelijke huisvesting zoals gemeentehuizen en ziekenhuizen komen hiervoor eerder in aanmerking dan bedrijven met een streng beveiligde toegang. Het voordeel van marktontwikkeling is dat er geen nieuw product of dienst ontwikkeld hoeft te worden en dat er kan worden voortgebouwd op de al aanwezige kennis en kunde van de mensen. Een ander voordeel is dat hiermee geld wordt gegenereerd door de facilitaire organisatie, dat weer kan worden aangewend voor investeringen en verbeteringen. Een nadeel kan zijn dat de facilitaire organisatie niet bekend is met de commerciële dienstenmarkt en dat werpt bepaalde drempels op. Het exploiteren van de mensen, middelen en ruimten betekent vaak een nog heviger concurrentie en vereist een professionele marketing. Wanneer de stap wordt genomen moet nog wel worden onderzocht in welke mate het huidige aanbod zonder modificaties geschikt is voor de nieuwe markt.

- **Productontwikkeling**
Productontwikkeling betekent dat er aan de bestaande afnemers geheel nieuwe producten en diensten worden aangeboden. Het is een uitbreiding van het facilitaire assortiment voor de huidige groep afnemers. Wanneer het bedrijf voorheen geen bibliotheek had, dan is het opzetten en inrichten van een bibliotheek door de facilitaire organisatie binnen het bedrijf een goed voorbeeld van productontwikkeling. Ook wanneer bepaalde uitbestede diensten weer in eigen beheer worden uitgevoerd is er sprake van productontwikkeling. Andere voorbeelden van productontwikkeling zijn:
  - Het beschikbaar stellen van faciliteiten voor bedrijfsgymnastiek en fitness.
  - De uitbestede schoonmaak zelf weer ter hand nemen.
  - Het instellen van een servicedesk binnen de onderneming waar de pandbewoners met hun klachten en verzoeken tot dienstverlening terecht kunnen.
  - Het ontwikkelen van foto's voor de pandbewoners door de audio-visuele afdeling.
  - Het uitlenen van 'dienstfietsen' aan de medewerkers.
  - Et cetera.

Bij productontwikkeling moet van te voren rekening gehouden worden met de introductie van de nieuwe dienst bij de pandbewoners en de eventuele 'aanloopverliezen' die het met zich mee zal brengen. De klant zal moeten weten hoe en wanneer hij een beroep kan doen op de dienst en de uitvoering ervan zal de nodige tijd en inspanning vereisen van de facilitaire medewerkers. Minstens zo belangrijk is het om te weten wat de vruchten of toegevoegde waarde van de nieuwe diensten zullen zijn. Wat is de toegevoegde waarde van een bedrijfsbibliotheek wanneer iedere stad een bibliotheek heeft en daarnaast via Internet heel veel informatie vanaf de werkplek bereikbaar is. De afweging die gemaakt dient te worden is die tussen enerzijds de verstoring van de productiviteit wanneer het niet wordt gedaan en anderzijds de continuering van de productiviteit, het gemak voor de pandbewoners en de werkplek- of arbeidssatisfactie wanneer het wel wordt gedaan. In geld zal het overigens niet altijd even gemakkelijk uit te drukken zijn. In een volgend hoofdstuk zal nog uitgebreid worden ingegaan op productontwikkeling.

- **Gerelateerde diversificatie**
  Gerelateerde diversificatie betekent dat de facilitaire organisatie zich binnen de huidige 'tak van sport' gaat bezighouden met het aanbieden van compleet nieuwe producten en diensten aan compleet nieuwe groepen afnemers. De tak van sport waar ik het hier over heb is dan het bieden van facilitaire diensten binnen de organisatie. Gerelateerde diversificatie vertaalt zich in achterwaartse, voorwaartse en horizontale integratie. Bij achterwaartse integratie worden leveranciers overgenomen of worden activiteiten ontwikkeld die gericht zijn op de toelevering van de facilitaire organisatie. Bij voorwaartse integratie worden tussenpersonen met betrekking tot de distributie overgenomen en bij horizontale integratie worden concurrenten overgenomen. Deze vorm van groeien lijkt niet erg voor de hand te liggen bij de facilitaire organisatie, tenzij ze commercieel gaat. Toch zijn er mogelijkheden:
  - De facilitaire organisatie gaat zich intern bezighouden met de automatiserings-helpdesk (horizontale integratie bij budgetconcurrentie).
  - De facilitaire organisatie gaat zich bezighouden met advisering op facilitair gebied bij branchegelijke bedrijven en instellingen (achterwaartse integratie).
  - Medewerkers van de facilitaire organisatie worden gedetacheerd bij andere bedrijven voor bijvoorbeeld de exploitatie van het bedrijfsrestaurant of het plegen van onderhoud aan bepaalde installaties.

Afhankelijk van de bediende markt lijken de groei-alternatieven haast onuitputtelijk. Het is dan ook zeer de moeite waard om bijvoorbeeld middels brainstorm-sessies deze alternatieven op een rijtje te zetten en de interessante mogelijkheden verder uit te diepen.

4.4.4. Wijze van uitvoering

Ten aanzien van de strategie moet worden aangegeven hoe deze tot uitvoering wordt gebracht. Hiervoor heeft de facility manager een tweetal alternatieven. Ten eerste kan alles in eigen beheer worden uitgevoerd, wat wil zeggen dat er geen externe partijen zullen worden ingeschakeld voor (een deel van) de uitvoering van de facilitaire dienstverlening. Een tweede mogelijkheid is om samen te werken met derden en (een deel van) de uitvoering over te laten aan externe partijen. Andere vormen van strategie-uitvoering zoals acquisitie of fusie en joint ventures liggen niet zo voor de hand als alternatief voor de interne facilitaire organisatie. Indien er sprake is van een zelfstandig facilitair bedrijf met een winstoogmerk kunnen dat soort alternatieven worden overwogen om bijvoorbeeld nieuwe markten aan te boren, gezamenlijke kennis en vaardigheden uit te buiten of het gebrek aan bepaalde vaardigheden 'in te kopen' of te verkrijgen.

Bij de overweging eigen beheer of samenwerking gaat het om de keuze tussen wie de meeste toegevoegde waarde heeft in het logistieke proces van de facilitaire dienstverlening en wie het best is uitgerust om de betreffende dienst waar te maken in termen van kwaliteit (differentiatie) en efficiency (kostenleiderschap). De facility manager zal een optimum moeten zien te bereiken tussen de inzet van eigen mensen, het samenwerken met externen en het gebruik maken van (externe) hulpmiddelen om de totale behoefte aan facilitaire dienstverlening te bevredigen.

Samenwerking moet in dit geval gezien worden als vorm van partnership met externen en niet als vorm van uitbesteding. Samenwerken met externe partijen hoeft overigens ook niet in alle gevallen tot uiting te komen in het uitbesteden van diensten. Het aanbieden van automatenkoffie kan betekenen dat de facilitaire organisatie een samenwerking aangaat met de leverancier van de automaten, als deze bijvoorbeeld periodiek het onderhoud en de bijvulling op zich neemt. In eigen beheer komt er dan op neer dat de automaten worden gekocht en de facilitaire organisatie opdraait voor zowel de exploitatie als het onderhoud op de machines. Samenwerken kan ook betekenen dat er een gezamenlijk projectteam wordt opgezet met verschillende facilitaire dienstverleners en externe adviseurs om bijvoorbeeld een grote verhuizing uit te kunnen voeren of dat er gebruik wordt gemaakt van het bedrijfsrestaurant van een aangrenzende onderneming of instelling. Met het oog op Just In Time-leveranties om voorraden te minimaliseren en de flexibiliteit te maximaliseren is het noodzakelijk dat de facilitaire organisatie samenwerkt met haar leveranciers.

Samenwerkingsverbanden kunnen zowel strategisch, tactisch als operationeel van aard zijn. Voorbeelden van strategische samenwerkingsverbanden zijn het gezamenlijk opzetten van een bedrijfsrestaurant door twee bedrijven en het huren van huisvesting. Tactische samenwerking komt tot uiting in het maken van prijsafspraken met een copy shop voor het snel uitwijken met betrekking tot druk- en copieerwerk, het opzetten van een projectteam met diverse facilitaire dienstverleners en adviseurs voor een grote verhuizing, het inhuren van externe adviseurs, het opmaken van jaarlijkse contracten met onderhoudsbedrijven et cetera. Het uit handen geven van een bepaalde klus aan een loodgietersbedrijf, het huren van audio visuele hulpmiddelen bij een bedrijf, het inzetten van uitzendkrachten voor een bepaalde receptie in het bedrijfsrestaurant en dergelijke zijn allemaal voorbeelden van een operationele samenwerking met derden. De operationele en tactische samenwerking is meer het domein van de implementatie van de marketingstrategie. De contouren of de mogelijkheden daarvoor zullen echter wel op strategisch niveau bepaald moeten zijn. Zo kan een beleidsuitspraak van de directie zijn dat er zo veel mogelijk gebruik moet worden gemaakt van externe partijen voor de uitvoering van de bedrijfsactiviteiten. Dit heeft dan niet alleen gevolgen voor de marketingstrategie van de facilitaire organisatie, ook de wijze van uitvoering van deze strategie zal daar op moeten aansluiten.

Het gedeelte van de dienstverlening dat aan de externe partijen wordt overgelaten kan zeer uiteenlopend zijn, ondanks dat in principe slechts bij de afweging de factoren kwaliteit en efficiency een rol behoren te spelen:
• Samenwerking vindt alleen plaats met betrekking tot (bedrijfs)kritische diensten om deze manier risico's te spreiden.
• Er wordt samengewerkt met externen voor diensten die slechts een klein en onbelangrijk deel uitmaken van de totale dienstverlening of die niet vaak worden afgenomen.

- Alle 'in het oog springende' diensten worden zelf uitgevoerd en alle zogenaamde low key diensten worden aan externen overgelaten.
- De te leveren dienst is dermate gecompliceerd en specialistisch van aard dat er wel met andere dienstverleners moet worden samengewerkt.

Ondanks dat het niet altijd behoort tot de personele en technische mogelijkheden heeft eigen beheer een aantal voordelen ten opzichte van het samenwerken met externe partijen:
- De benodigde kennis en vaardigheden om de dienst succesvol uit te voeren wordt hiermee zelf opgedaan.
- Met eigen beheer heeft de facility manager meer grip op de kosten en de uitvoering van de dienst.
- Er treden geen cultuurproblemen op als het gevolg van het integreren met andere organisaties.

4.4.5. Enkele scenario's voor de facilitaire organisatie

Om te komen tot de meest geschikte strategie wordt eerst een aantal strategische opties of scenario's opgesteld. Elk van deze opties zal daarna getoetst moeten worden op geschiktheid, uitvoerbaarheid en aanvaardbaarheid. De strategische opties moeten aangeven waar de facilitaire organisatie zich de komende jaren 'commercieel' gezien mee bezig gaat houden in termen van:
- Welke rol willen we gaan spelen (positie)?
- Voor welke afnemersgroepen ten aanzien van welke diensten (markt)?
- En met behulp van welke middelen willen we dat bereiken (middelen)?
- Op welk tijdstip op de lange termijn?

De tijdshorizon voor de strategie zal niet langer dan drie jaar moeten bestrijken, omdat de omgevingsontwikkelingen elkaar in een te snel tempo opvolgen. Onderstaand volgen enkele zeer globale scenario's die denkbaar zijn voor de facilitaire organisatie en als grote lijn voor een strategische keuze kunnen worden aangemerkt. Het geeft een bepaalde richting aan, maar gaat niet zover dat de gewenste positie, de inzet van middelen en het tijdstip voor realisatie wordt aangegeven.

- **Verzelfstandiging van de facilitaire organisatie**
  Dit is een ontwikkeling die al door een aantal bedrijven is ingezet. De facilitaire dienst wordt een zelfstandige onderneming en wordt daarmee een winstverantwoordelijke eenheid. Hierin zijn nog weer twee opties denkbaar:
  - De facilitaire business unit, ofwel een verzelfstandigd facilitair bedrijf die geheel toegewijd diensten verleend aan de organisatie waaruit ze voortkomt.
  - Het geheel zelfstandige facilitair bedrijf BV. Een nieuwe onderneming die volledig autonoom opereert op de markt.

- **Uitbesteding van facilitaire diensten**
  - Alleen niet kritische of gevoelige diensten worden uitbesteed.

- Alle facilitaire diensten worden uitbesteed aan verschillende externe partijen, waarbij de facility manager optreedt als coördinator of sparring partner van de verschillende aanbieders.

- **Volledige afstoting**
  - Er wordt een main contractor ingeschakeld die verantwoordelijk is voor de gehele facilitaire dienstverlening en alle partijen daarin.

- **Natuurlijke dood**
  - Virtuele werkplekken en thuiswerkers zorgen ervoor dat de behoefte aan huisvesting en het beroep op facilitaire dienstverlening afneemt.
  - Verhuizing van een deel of de gehele organisatie naar een 'dienstencentrum' waar de facilitaire dienstverlening integraal wordt aangeboden (vooral bij kleine organisaties opportuun).

- **Kosten- en differentiatiefocus**
  - Door zoveel mogelijk de productie van de diensten aan het dienstverleningspersoneel over te laten en de participatie van de klant in het proces te minimaliseren kan een hogere productiviteit van (bepaalde groepen) pandbewoners worden bereikt.
  - De volledige industrialisering van diensten waarbij geen contactpersoneel aan te pas hoeft te komen.
  - Alle persoonsgebonden diensten zelf ter hand nemen en de gebouwgebonden en onderhoudsdiensten in samenwerking met derden uitvoeren.
  - Als facilitaire organisatie concentreren we ons op een optimalisering van de communicatie van de pandbewoners, waarbij continuïteit van de productiviteit zwaarder weegt dan kosten en kwaliteit voor kwantiteit gaat.
  - We houden ons bezig met een kostendekkend niveau van dienstverlening, gericht op gelijkheid van pandbewoners en gasten, waarbij zelfproductie zoveel mogelijk wordt gestimuleerd en kapitaalintensieve diensten zoveel mogelijk in samenwerking met derden tot stand worden gebracht.

Omdat facilitaire dienstverlening van zichzelf al zo'n enorm breed vakgebied is, zullen ook de strategische opties zeer uiteenlopend kunnen worden geformuleerd, waarbij het aantal opties niet tot twee beperkt hoeft te blijven. Om de definitieve marketingstrategie te kiezen zullen de geformuleerde strategische opties zorgvuldig moeten worden geëvalueerd aan de hand van bepaalde toetsingcriteria. Hiervoor kan een drietal afwegingen worden aangewend: de geschiktheid van de strategie, de praktische uitvoerbaarheid ervan en de aanvaardbaarheid van de keuze.

Geschiktheid van de strategie gezien de SWOT en het halen van de doelen:
- Bouwt de strategie voort op de sterktes en de kansen en in hoeverre worden de zwaktes en bedreigingen overkomen?
- Past de strategie bij de gestelde doelen?
- Is de strategie ook inderdaad strategisch logisch, kijkend naar bijvoorbeeld de opbouw van de waardeketen?
- Is de strategie cultureel wel verantwoord?

Praktische uitvoerbaarheid van de strategie:
- Past de strategie gezien de interne organisatie en situatie met betrekking tot kwaliteitseisen, benodigde vaardigheden en technologie, de reactie van concurrenten, geld en materialen et cetera?

Aanvaardbaarheid van de strategie:
- Is de uitvoering van de strategie aanvaardbaar in termen van 'winstgevendheid', risico, het effect ervan op de kapitaal- en organisatiestructuur, de verwachtingen van de aandeelhouders en andere belanghebbenden, de gevolgen op de omgeving zoals milieu et cetera?

De juiste strategie is consistent met de uitkomst van de uitgevoerde analyses en biedt daadwerkelijk zicht op de oplossing van de strategische aandachtspunten. De marketingstrategie van de facilitaire organisatie zal daarnaast de strategie van het bedrijf of instelling waar ze haar diensten aan verleend moeten versterken en de ondernemingsdoelstellingen dichterbij moeten brengen. De bestaansreden mag nooit uit het oog worden verloren en het bestaansrecht zal eens te meer met behulp van de gekozen strategie moeten kunnen worden aangetoond.

5 De dienstverleningsformule en positionering

Uit de verschillende geformuleerde strategische opties wordt uiteindelijk één strategie gekozen. Deze marketingstrategie wordt vervolgens uitgewerkt in een heldere en tastbare formule waarmee de klanten worden benaderd, de dienstverleningsformule. Het proces dat tot een uitgewerkte formule leidt is het segmentatieproces dat bestaat uit drie stappen: de segmentatie, de targeting of doelmarktkeuze en de positionering. De totale doelmarkt wordt eerst opgedeeld in verschillende hapklare brokken, dan wordt bepaald welke segmenten op welke wijze worden benaderd en tot slot hoe we ons in die segmenten, deze product/markt-combinaties gaan onderscheiden van de concurrentie. Wat hiermee plaatsvindt is de vertaling van de marketingstrategie naar de markt toe en het geeft de vereiste samenhang aan tussen de verschillende marketinginstrumenten om de strategie uit te voeren. Daarmee vormt het segmentatieproces de verbindende schakel tussen de strategische keuze en de daadwerkelijke implementatie van de gekozen marketingstrategie.

5.1. De segmentatie

Segmenteren is het opdelen van de markt in homogene doelgroepen, waarbij ieder segment een bepaalde groep consumenten of afnemers vertegenwoordigt met een overeenkomstig verwacht koopgedrag c.q. reactiepatroon op bepaalde prikkels/stimuli. Binnen de geselecteerde doelmarkt kunnen zich allerlei subgroepen van afnemers bevinden die ieder op een afzonderlijke manier benaderd moeten worden, willen we hun behoeften optimaal bevredigen. Het hebben van meerdere segmenten en het willen bevredigen van de behoeften van deze verschillende segmenten (multiple segmentbenadering) houdt dus automatisch in dat er voor ieder segment een afwijkende mix van instrumenten ingezet moet worden. De segmentatie is dus gericht op de vraag of de (interne) markt inderdaad bestaat uit verschillende groepen afnemers die allemaal hun eigen aanpak vereisen. Met de uitgevoerde afnemersanalyse is het vermeende verschil in (consumenten)gedrag al boven water gekomen.

Er kunnen wellicht verschillende afnemersgroepen worden onderscheiden door te kijken naar het gebruiksmoment van de dienst, het gebruiksdoel en de consumptiegelegenheid van de afnemers. Het ligt dan voor de hand om hele afdelingen binnen het bedrijf of de instelling als apart segment te beschouwen. De specifieke werkzaamheden van die afdeling binnen het bedrijf en de mate waarin dat leidt tot een gerechtvaardigde andere benadering door de facilitaire organisatie vormt dan de basis voor segmentatie. Gerechtvaardigd in de zin dat er geen bewuste discriminatie optreedt in servicegraad naar de klant toe, tenzij er ook een ander prijskaartje aan hangt. Het gros van de afnemers van de facilitaire organisatie zijn en blijven natuurlijk nog steeds gelijkwaardig in die zin dat ze onderdeel uitmaken van hetzelfde bedrijf en 'recht' hebben op een gelijke benadering en behandeling. De bereidheid tot meeproductie, ofwel in welke mate is de klant in staat of bereidwillig om zelf of samen met de dienstverlener te zorgen voor de prestatie is ook een bruikbare basis voor segmentatie. De vereiste of het belang van de continuïteit van de productiviteit van de verschillende pandbewoners is voor deze segmentatiebasis een afwegingscriterium. Indien pandbewoners zelf hun budget kunnen verdelen over de verschillende facilitaire diensten die ze afnemen, is uiteraard dit beschikbare budget ook een afweging om de markt in segmenten te verdelen. Een zeer duidelijk verschil bestaat sowieso tussen vaste pandgebruikers en gasten. Het kan gezien de aard van het bedrijf en de functie van het gebouw voor de gebruikers bijvoorbeeld zo zijn dat gasten privileges hebben of een andere (maatwerk)bediening krijgen dan vaste pandgebruikers.

Welke indeling ook wordt gekozen als basis, ieder segment dat hiermee ontstaat zal in elk geval moeten voldoen aan een aantal criteria wil het van enig functionele waarde zijn:
• De segmenten moeten identificeerbaar.
• De segmenten moeten van voldoende omvang zijn.
• De segmenten moeten benaderbaar zijn middels bepaalde media.
• De verschillende segmenten moeten onderling voldoende onderscheidend zijn.
• De vermeende overeenkomst in reactie op stimuli moet aanwezig zijn.

5.2. De targeting

Nadat de afzetmarkt is opgedeeld in verschillende segmenten zal er een keuze gemaakt moeten worden welk segment of welke segmenten zullen worden bediend met welk productaanbod. Deze doelmarktstrategie geeft aan hoe breed de facilitaire organisatie haar dienstenpakket gaat aanbieden aan de onderneming of instelling. Is iedere pandbewoner klant of slechts enkele groepen, of worden verschillende klantgroepen onderscheiden die ook allemaal verschillende diensten krijgen aangeboden. Ofwel, aan welke klanten gaan we welke dienstverlening aanbieden. Bij sterk gedivisioneerde bedrijven waarbij elke afdeling verantwoordelijk is voor z'n eigen resultaat ligt deze aanpak meer voor de hand dan voor bedrijven waar alle facilitaire kosten op een grote hoop worden gegooid. Wanneer afdelingen hun eigen dienstenpakket kunnen of mogen samenstellen zal de facilitaire organisatie ook een gedifferentieerde aanpak moeten kunnen bieden.

Ten aanzien van de doelmarktstrategie bestaat er een drietal mogelijkheden: een geconcentreerd productaanbod, een selectief of gedifferentieerd productaanbod en het voeren van een extensief of ongedifferentieerd productaanbod:

- *Ongedifferentieerd* productaanbod of efficiëntie-strategie. Hierbij wordt uitgegaan van een lage kostenpositie en standaardisatie om concurrentievoordeel te behalen. Alle afnemers van de facilitaire organisatie worden geconfronteerd met dezelfde producten en diensten (standaardisering).

- *Gedifferentieerd* productaanbod of effectiviteitsstrategie. Hierbij wordt uitgegaan van de verschillende behoeften van verschillende afnemers (maatwerk). Er kunnen een viertal methodes worden onderscheiden:
  - Full coverage, voor alle verschillende groepen pandbewoners (segmenten) wordt een verschillend productaanbod samengesteld.
  - Productspecialisatie of functioneel gericht, alle segmenten worden bediend met één product of dienstenpakket.
  - Marktspecialisatie of segment gericht, er worden verschillende producten en diensten aangeboden aan slechts één segment (de facilitaire organisatie richt zich bijvoorbeeld nog slechts op de directie of externe gasten).
  - Selectieve specialisatie of account gericht, bepaalde grote segmenten krijgen een speciale benadering via bijvoorbeeld een vaste account manager.

- *Geconcentreerd* productaanbod. Hierbij richt de facilitaire organisatie zich nog slechts met één product of dienst tot één segment binnen de onderneming.

Facilitaire dienstverlening wordt nog vaak als alles voor iedereen beschouwd. Iedere pandbewoner is gelijk en de veelheid aan facilitaire diensten is voor iedereen in dezelfde mate beschikbaar. Dit leidt echter uiteindelijk niet tot een kwalitatief hoogwaardige dienstverlening en een marktconform kostenniveau. Alles voor iedereen kan weliswaar een uitspraak zijn van het management (en met iedereen wordt dan uiteraard dit management zelf niet bedoeld) maar het gaat volledig voorbij aan de verschillende groepen pandbewoners en hun verschillende behoeften en wensen. Het onderscheid in productaanbod zal ten aanzien van collectieve diensten zoals de receptie uiteraard niet zo snel toepasbaar zijn. Juist bij facultatieve diensten die door de individuele klant worden geïnitieerd wordt de facilitaire organisatie met een juiste doelmarktstrategie in staat gesteld om een kwalitatieve en professionele dienstverlening op een efficiënte wijze tot stand te brengen waarbij rekening is gehouden met de verschillen in de afnemers van deze diensten.

5.3. De positionering

De positionering geeft aan hoe de facilitaire organisatie zich ten opzichte van de concurrentie wil onderscheiden en komt tot uiting in de dienstverleningsformule die wordt gehanteerd. In de dienstverleningsformule die de facilitaire organisatie voert geeft zij uiteindelijk antwoord op de vraag wat ze verstaat onder de begrippen *'facilitair'* en *'dienstverlening'*. Een juiste positionering bestaat uit een claim, een imago, een uiting van onderscheidend vermogen, een Unique Selling Proposition die is afgeleid van de behoeften en wensen van de afnemers en geeft 'inhoud' aan hetgeen de facilitaire organisatie voor haar klanten kan betekenen. Het geeft aan wat er wordt 'verkocht', op welke (unieke) wijze, aan welke specifieke doelgroep. Deze plaatsbepaling kan bereikt worden op basis van reële factoren zoals product- en dienstkenmerken, de prijs, de distributie en dienstverlenend personeel en op basis van psychologische factoren waarbij middels promotie een zogenaamde breinpositie bij de consument wordt bewerkstelligd.

Een aantal voorbeelden hiervan zijn:

"Onze facilitaire organisatie is een full service eenheid die gedurende de openstelling van de huisvesting alle pandbewoners ten dienste staat met een uitgebreid assortiment aan ondersteunde producten en diensten ten behoeve van de continuïteit van de productiviteit van iedere pandbewoner, waarbij de individuele behoefte van de klant voorop staat."

"Onze facilitaire organisatie is een gespecialiseerde eenheid die zorg draagt voor continuïteit van de productiviteit van alle vaste pandgebruikers en gasten door primair zorg te dragen voor de technische instandhouding van het gebouw en de beschikbare faciliteiten en secundair tegemoet te komen aan de individuele behoeften van de pandbewoners door zoveel mogelijk via zelfbedieningskanalen de noodzakelijke faciliteiten aan te bieden."

Vanuit de positionering van de facilitaire organisatie wordt uiteindelijk de vertaling gemaakt naar de verschillende marketinginstrumenten die de facility manager ten dienste staan. Tot slot over positionering een tweetal citaten uit Cravens (1994):

"Positioning helps customers know the real differences among competing products so that they can choose the one that is of most value to them."

"It is tempting but naive - and usually fatal - to decide on a positioning strategy that exploits a market need or opportunity but assumes that your product is something it is not."

6 De implementatie van de marketingstrategie

Het implementeren van de marketingstrategie is het praktisch ten uitvoer brengen van de weg die is ingeslagen. Dit heeft voor de facilitaire organisatie enerzijds externe gevolgen en anderzijds interne gevolgen. De externe gevolgen komen tot uiting in de vertaling van de strategie naar gerichte activiteiten naar de klanten toe met behulp van een aantal zogenaamde marketinginstrumenten. De interne gevolgen hebben te maken met de facilitaire organisatie zelf en de verdeling en inzet van mensen en middelen om de activiteiten uit te kunnen voeren. In de implementatiefase van de marketingstrategie is de aandacht vooral gericht op detail en uitvoering.

6.1. De marketingmix

Om de klant te beïnvloeden en ook daadwerkelijk een ruilproces met deze klant tot stand te brengen heeft de marketer (in dit geval de facility manager) een aantal marketinginstrumenten tot z'n beschikking. Deze verzameling van instrumenten wordt ook wel de marketingmix genoemd. Het zijn voor de organisatie beheersbare instrumenten die op ieder willekeurige manier kunnen worden ingezet om de beoogde doelen te realiseren. Door het samenstellen van een juiste mix kan tot een optimale bewerking van de doelmarkt worden gekomen en kan het marketingbeleid aldus gestalte worden gegeven. Deze marketinginstrumenten staan wel bekend onder de naam 'de vier P's'. Ze staan voor: Product, Prijs, Plaats en Promotie. Bij de marketing van diensten wordt er nog een vijfde P aan toegevoegd: de P van Personeel. De reden hiervoor is het specifieke karakter van dienstenmarketing, waarin personeel zo'n belangrijke functie vervult.

Het product omvat de huisvesting, de verschillende facilitaire diensten en de (kantoor)benodigdheden die door de facilitaire organisatie worden aangeboden of ter beschikking worden gesteld aan de pandbewoners en gasten. De beslissingen die de facility manager hieromtrent moet nemen hebben te maken met onder andere de kwaliteit, de omvang van het assortiment, de service die wordt verleend en de klachtenafhandeling. De prijs heeft voor de intern opererende facilitaire organisatie een wat andere functie dan het genereren van omzet zoals bij marktpartijen het geval is. Prijs heeft als functie om de kosten van de dienstverlening inzichtelijk te maken en de klanten van de facilitaire

organisatie op deze kosten te wijzen. De beslissingen die hieromtrent genomen dienen te worden zijn bijvoorbeeld het wel of niet (intern) doorbelasten
van de consumptie en op basis waarvan de prijs wordt bepaald. Met de plaats
of distributie wordt de verkrijgbaarheid en toegankelijkheid van het aanbod
aan facilitaire diensten behandeld. Ofwel waar kunnen pandbewoners hun
verzoeken tot dienstverlening kenbaar maken en hoe worden deze facilitaire
diensten uiteindelijk geleverd aan de klant. De keuze tussen bijvoorbeeld
koffierondes en koffiecorners heeft met distributie te maken alsook de
contractuele levering van bepaalde producten en diensten. Promotie behelst
alle beslissingen omtrent de communicatie naar de klant toe en de profilering
van de facilitaire organisatie. Het huisorgaan, de dienstverleningsactivi-
teitengids en ook eenvoudige aankondigingen vallen hieronder. De beslissing
omtrent de inzet van personeel tot slot kent de tweedeling front office en back
office-personeel. De eisen die aan contactpersoneel worden gesteld verschillen duidelijk met die van back office-personeel. Zo vormt de marketingmix
het tastbare en zichtbare gedeelte van de marketingstrategie die is ontworpen. De beslissingen hieromtrent zijn van operationele en tactische aard
en zullen altijd als afgeleide van de marketingstrategie gezien moeten worden
en met deze in overeenstemming moeten zijn.

6.2. Het productbeleid

"Producten maak je, diensten maak je waar."

Bij dienstverlenende organisaties is het product de uitkomst van een
bepaalde inspanning van mensen in combinatie met middelen. Dat is geheel
identiek aan het voortbrengen van goederen door een fabrikant. Het moment echter waarop de samenwerking tussen mensen en middelen tot stand
komt, wordt in de dienstverlening grotendeels bepaald door de klant zelf en
het moment van productie is in de meeste gevallen tevens het moment van
consumptie. Dat heeft alles te maken met de drie specifieke karakteristieken
van diensten, namelijk:

- Diensten zijn ontastbaar (immaterieel).
- Er is doorgaans rechtstreeks contact tussen aanbieder en afnemer.
- De afnemer is medeproducent (dat wil zeggen is betrokken bij het productie-
proces van de dienst en consumeert tegelijkertijd).

Het productieproces van diensten, het dienstverleningsproces, ziet er dan
ook wat anders uit dan het productieproces van fysieke goederen. De
marketing manager van een soepfabriek zal zich niet of nauwelijks met de
productie bemoeien. Hij verstrekt op basis van marktonderzoek en/of zogenaamd Fingerspitzengefühl de input voor smaak, samenstelling, geur, kleur
en verpakking van de soep en vervolgens is het aan de productiemanager om
zorg te dragen voor het fysieke eindproduct dat uiteindelijk bij de detaillist
in de schappen ligt. Zelfs de fysieke distributie naar de winkelier toe kan
volledig buiten hem om worden gedaan. In de dienstverlening is de prestatie
de directe uitkomst van het dienstverleningsproces in al z'n fases, zodat de

dienstenmarketer wel bij het 'productieproces' betrokken moet zijn, wil hij een zekere mate van kwaliteit waarborgen. Het productieproces is niet mede bepalend voor de kwaliteit van de dienst die geleverd wordt. Het productieproces bepaalt de kwaliteit van de prestatie die geleverd wordt.

6.2.1. Het dienstverleningsproces

Diensten komen tot stand via een dienstverleningsproces dat gezien kan worden als een gezamenlijke activiteit van dienstverlener en klant, die mee produceert, die voorziet in de behoefte van deze klant. De uitkomst van dit proces is vervolgens de prestatie. Het dienstverleningsproces is opgebouwd uit een viertal elementen dat gezamenlijk inhoud geeft aan het proces. Het product van de facilitaire organisatie ziet er dan als volgt uit:

- **Prestaties.**
- **Proces:**
  - *Personeel.* Het dienstverlenend personeel ofwel de facilitaire medewerkers die zorg dragen voor het aannemen, in behandeling nemen en uitvoeren van alle verzoeken tot dienstverlening. Personeel is op te splitsen in front office- of front stage-medewerkers en back office- of back stage-medewerkers, waarbij de front stage het directe contact met de klant onderhoudt en tijdens de uitvoering met de klant in contact staat en de back stage zorg draagt voor de totale gang van zaken dat niet voor de klant zichtbaar is.
  - *Participatie van de klant.* De klant is onderdeel van het dienstverleningsproces omdat deze in de meeste gevallen mee produceert en daardoor een instrument voor de facility manager is. Bij het voeren van productbeleid is het vooral van belang om de rol die de klant heeft in het proces goed te (onder)kennen.
  - *Procedures en systemen.* Onder de procedures en systemen vallen alle regels, draaiboeken, handboeken, aanvraagprocedures en -formulieren, openingstijden, wel of niet geautomatiseerde informatiesystemen, planningsmethodieken en andere 'zachte' elementen, waarvan zowel personeel als klanten gebruik maken.
  - *Producten en hulpmiddelen.* Alle fysieke producten en hulpmiddelen die er in het dienstverleningsproces aan te pas komen, inclusief de omgeving waarin de dienst wordt verleend vallen hier onder de producten en hulpmiddelen. Het zijn de 'harde' elementen van de dienstverlening zoals stoel en bureau, computers, koffiebekers, zeep, telefoontoestellen, allerhande gereedschap, een loket et cetera.

De prestatie is aldus het gevolg van het samenspel van de verschillende proceselementen, waarbij het individuele belang van en de nadruk op één of enkele van deze elementen per soort dienst sterk kan verschillen. Geldt ten aanzien van de groenvoorziening dat de nadruk ligt op het dienstverlenend personeel en de fysieke hulpmiddelen, zo ligt bij de klachtafhandeling de nadruk vooral op zowel personeel als de participatie van de klant. Bij het periodiek onderhoud van de gebouwinstallaties is weer vooral de procedure die hieromtrent wordt gevolgd van belang.

Binnen het dienstverleningsproces kan naast de vier proceselementen een vijftal fasen worden onderscheiden, die achtereenvolgens worden doorlopen om tot de voltooiing van de uiteindelijke prestatie te komen. Deze fasen zijn:

- **Entree**
  In de entreefase heeft het eerste contact met de facilitaire organisatie plaats en maakt de klant zijn verzoek tot dienstverlening kenbaar. Voor het contactpersoneel is het in deze fase van belang om achter de bedoeling van de klant te komen. Het is tevens de fase waarin de eerste indruk van de facilitaire organisatie wordt gewekt, die zo'n belangrijke invloed heeft op de totale kwaliteitsperceptie van de klant.

- **Probleemanalyse**
  Tijdens de probleemanalyse wordt het 'echte verzoek' boven water gehaald. Wat is precies de bedoeling en wat verwacht de klant eigenlijk. De uitkomst van deze fase is een helder beeld van hetgeen er over en weer, dat wil zeggen van dienstverlener en klant, van elkaar mag worden verwacht. De eerste indruk of verwachting kan in deze fase iets worden bijgesteld, indien dat nodig is.

- **Actieplanning**
  In deze fase wordt de (stapsgewijze) oplossing of werkwijze ten aanzien van de prestatie uiteengezet. Dit kan zowel voor als achter de schermen plaatsvinden. In sommige gevallen heeft de klant zelf al allerlei 'oplossingen' klaarliggen om het 'probleem' aan te pakken. Wanneer de dienstverlener de uitvoeringsplanning afstemt met de klant, moet hij zien te voorkomen dat de klant zijn wil doordrijft en daardoor de dienstverlener in moeilijkheden brengt. Een niet haalbare planning leidt immers altijd tot een ontevreden klant.

- **Uitvoering**
  De uitvoering is het waarmaken van de dienst en het tegemoetkomen aan de verwachting van de klant.

- **Beëindiging**
  De beëindigingsfase bestaat uit het verlenen van de after (sales) service ofwel de nazorg. Dit kan betekenen dat de klant wordt gevraagd of alles naar wens was, maar het kan ook het sturen van een nota betekenen. In de beëindigingsfase kan de dienstverlener nog het nodige doen aan de uiteindelijke beoordeling van de klant van de geleverde prestatie en kan de kwaliteit van de prestatie positief en negatief worden bijgesteld.

Voor sommige diensten geldt dat verschillende fasen nagenoeg samenvallen (bijvoorbeeld het zelf copiëren van een rapport), voor andere diensten geldt weer dat iedere fase een volstrekt gescheiden aandachtsgebied is (bijvoorbeeld een verhuizing). Bij het copiëren van een rapport bestaat de entreefase tot en met de beëindigingsfase uit het eventueel aanzetten van de copiër, het inbrengen van het origineel, het aangeven van het gewenste aantal copieën en het formaat en het drukken op de startknop, waarna de machine het werk doet en vervolgens het meenemen van de copieën en het origineel. De gehele handeling duurt waarschijnlijk enkele tientallen seconden. Bij een verhuizing daarentegen kan er tussen entreefase en beëindiging gerust enkele maanden zitten, waarbij zowel dienstverleners als klanten uren zoniet dagenlang intensief contact met elkaar hebben.

6.2.1.1. Verschillende vormen van dienstverlening en soorten diensten

Dienstverlening kent vele vormen en het dienstenaanbod kent eveneens een grote verscheidenheid. Dienstverlening is onder andere in te delen naar aard van het proces en diensten naar onderwerp of object waarop de dienstverlening betrekking heeft of hetgeen wordt voortgebracht door het proces.

Dienstverlening als proces beschouwd kent drie vormen. Het gaat er dan om hoe de diensten uiteindelijk tot stand worden gebracht.

- *Planmatige dienstverlening* is een vorm van dienstverlening die ingeroosterd wordt omdat het periodiek of op een specifiek tijdstip uitgevoerd moet en/of kan worden of die te gecompliceerd is om zomaar ineens uit te voeren en waar van te voren over nagedacht moet worden. Voorbeelden daarvan zijn onderhoudswerkzaamheden aan gebouwen en installaties, de glasbewassing, verhuizingen en het aanleggen van een telefooncentrale.

- *Routinematige dienstverlening* is dienstverlening die tot de gewone gang van zaken behoort en die niet wordt of hoeft te worden gepland of die als gevolg van het vaak uitvoeren en veel oefenen standaard is geworden. Het inschrijven van bezoekers bij de receptie of bewaking, een kopje koffie met een koekje erbij serveren, een kaartje verkopen aan het loket, het vervangen van een defecte lamp zijn er voorbeelden van. Het zijn de standaard diensten waarbij nauwelijks nagedacht hoeft te worden en die al snel als saai, eentonig en door machines vervangbaar worden gezien.

- *Improviserende dienstverlening* is dienstverlening die niet de normale gang van zaken volgt, waarop niet kan worden geanticipeerd en zich kenmerkt door de gelegenheid en die niet routinematig kan worden uitgevoerd. Allerlei zaken die we als facilitaire organisatie niet zelf in de hand hebben zijn daar goede voorbeelden van. Denk aan een geplande meeting voor tien personen waarvoor plotseling dertig mensen komen opdagen, klachten of vragen van pandbewoners over onverwachte zaken en het niet op voorraad hebben van artikelen die op dat moment wel benodigd zijn. Improviserende dienstverlening is moeilijk omdat er geen regels voor bestaan hoe het uit te moeten voeren. Het komt erop aan hoe de persoon die ermee wordt geconfronteerd omgaat met de vaak netelige situatie.

Naast de verschillende vormen van dienstverlening kunnen we ook binnen de voortgebrachte diensten drie soorten onderscheiden als we kijken naar het object waarop de dienstverlening betrekking heeft. Op voorhand kan al worden gesteld dat veel diensten bestaan uit een combinatie van deze drie soorten.

- *Materiegebonden* of machinegebonden diensten zijn verrichtingen of handelingen die betrekking hebben op fysieke elementen. Denk hierbij aan schoonmaken, het transporteren van goederen, het indraaien van een lamp en het serveren van een kopje koffie. De klant komt er niet rechtstreeks bij aan te pas.

- *Gegevensgebonden* of systeemgebonden diensten hebben geen betrekking op fysieke zaken maar op zichtbare zaken die ontastbaar zijn. Schriftelijke en electronische informatievoorziening zijn daar voorbeelden van, maar ook zaken als verzekeringen, bankzaken, de bioscoop, het beleggen van een vergadering, het organiseren van een reis en het maken van een bouwtekening. De klant is er in dit geval slechts gedeeltelijk rechtstreeks bij betrokken.

- *Interactiegebonden* of persoonsgebonden diensten daarentegen zijn verrichtingen waarbij de klant direct en rechtstreeks betrokken is. De dienst is echter onzichtbaar en ontastbaar. Buiten het facilitaire moeten we dan denken aan therapeutische behandelingen, binnen het facilitaire hebben we dan te maken met opleidingen, telefoon- en receptiediensten, rondleidingen en klachtenafhandeling.

Naast de al genoemde indelingen bestaat er nog een groot aantal tweedelingen van zowel diensten als dienstverlening. Soms worden ze te pas en te onpas gebruikt en vaak worden ze gehanteerd terwijl er wat anders wordt bedoeld. Enkele van de tweedelingen die met betrekking tot specifiek facilitaire dienstverlening ter sprake (kunnen) komen zijn:

- *Gepland* versus *ad hoc*. Deze indeling behandelt de dienst als activiteit en zegt iets over hoe en wanneer de prestatie wordt geleverd. Het gaat hierbij om de mate van voorbereiding die de uitvoering van de prestatie heeft ondergaan: in de toekomst en wel voorbereiding of onmiddellijk en geen voorbereiding. De verwisseling met planmatige versus improviserende dienstverlening wordt hierbij vaak gemaakt alleen is het wezenlijk anders. Bij gepland en ad hoc gaat het specifiek om de uitvoering van de prestatie, terwijl het bij planmatige en improviserende dienstverlening om het gehele proces gaat. Ad hoc wil zeggen zonder voorbereiding, directe actie ondernemen. Deze handeling kan zowel routinematig als improviserend zijn. Hetzelfde geldt voor geplande activiteiten. Ook deze kunnen zowel routinematige als improviserende dienstverlening betreffen. Het verwisselen van een defecte lamp kan zowel gepland als ad hoc worden uitgevoerd, maar het zal doorgaans een routinematige vorm van dienstverlening zijn. Het evacueren van een bepaalde vleugel na een brandmelding is een ad hoc-activiteit, wanneer het een oefening betreft is het een geplande actie. In beide gevallen kan het gaan om zowel planmatige, routinematige als improviserende dienstverlening, afhankelijk van hoe vaak een dergelijke actie al eens is uitgevoerd door de betrokkenen.

- *Reactief* versus *pro-actief*. Reactieve en pro-actieve dienstverlening heeft te maken met wie het proces dat leidt tot de uiteindelijke prestatie initieert en zegt daarbij tevens iets over de houding van de dienstverlener. Reactief houdt in dat de dienstverlener reageert op de klant of een situatie. Pro-actief wil zeggen dat de facilitaire organisatie de klant of een bepaalde situatie voor is en zelf het proces initieert. Het verschil in houding van de dienstverlener hierbij is enerzijds niet meedenken met de klant of niet (kunnen) inleven in de situatie en anderzijds wel meedenken met de klant en inleven in de situatie.

- *Preventief* versus *correctief.* Preventief en correctief heeft specifiek te maken met bepaalde soorten van 'onderhoudswerkzaamheden' en de 'levensfase' waarin de dienst wordt verleend of hoe er te werk wordt gegaan. Het onderscheid tussen beide is dat bij correctieve dienstverlening het kwaad al is geschied en bij preventieve dienstverlening nog niet. Preventief is de dingen voor zijn, correctief is brand blussen. Preventief en correctief wordt vaak verward met pro-actief en reactief. Echter bij reactieve dienstverlening kan de dienstverlener best preventief te werk gaan. Denk hierbij aan het repareren van een lekke kraan waarbij de uitvoerende tevens de leertjes van alle andere kranen in de toiletgroep vervangt.

- *Collectief* versus *facultatief.* Collectieve diensten zijn diensten die door iedere pandbewoner elke dag opnieuw worden afgenomen en waarbij de individuele klant zelf geen of weinig invloed op de consumptie uit kan oefenen. Denk hierbij aan het gebruik van het pand in z'n algemeenheid, de receptie, de telefooncentrale, de bewaking, de glasbewassing, de energievoorziening, de schoonmaak et cetera. Facultatieve diensten worden door iedere klant zelf aangevraagd en dus heeft de klant zelf de consumptie ervan in de hand. Voorbeelden daarvan zijn de restauratieve verzorging en het gebruik van vergaderzalen.

De gegeven opsomming van soorten diensten is nog lang niet uitputtend, maar het geeft de meest gangbare en op het eerste gezicht meest bruikbare indelingen weer. Het nut van al deze verschillende indelingen is dat het de grote verscheidenheid aan facilitaire diensten onderverdeelt in gelijksoortigen waardoor de begripvorming verbetert. Vanwege de overeenkomstige karakteristieken van de diensten die bij elkaar in de groep zijn ingedeeld ontstaat er slechts een klein aantal bewerkbare dienstenclusters met elk hun eigen specifieke 'gedrag' en invloed op bijvoorbeeld de concurrentiepositie van de facilitaire organisatie. Daarnaast biedt het houvast bij het managen van de kwaliteit van de verschillende prestaties.

6.2.2. Het facilitaire assortiment

Klanten heb je niet zomaar, klanten ko(m)(p)en bij je omdat je ze iets te bieden hebt, je hebt een bepaald producten- en dienstenaanbod. Voor de facilitaire organisatie bestaat dit uit het beheer voeren over de facilities (huisvesting en fysieke middelen) en het leveren van facilitaire diensten en (kantoor)benodigdheden. Dit geheel is het facilitaire assortiment, dat een zeer breed scala aan producten en diensten kan omvatten. Om de mogelijkheden uiteen te zetten, maak ik gebruik van de rubricering van facilitaire

producten en diensten die is opgesteld door de vereniging Facility
Management Nederland (FMN) met het oog op de ontwikkeling van kengetallen. Zij onderscheidt facilitaire hoofdgroepen, die worden onderver-
deeld in facilitaire productgroepen, die weer worden verdeeld in facilitaire
producten. Om een indruk te geven van de enorme diversiteit is er telkens
per hoofdgroep één productgroep in z'n geheel uitgesplitst naar de afzonderlijke producten. Voor de volledige lijst verwijs ik graag naar het FMN.

Facilitaire hoofdgroep	Productgroep	Product
Huisvesting	Terrein	Grond
		Terreinopstallen
		Terreininstallaties
		Terreininrichting
		Groenvoorziening
		Terreinverharding
		Overig
	Gebouw	
	Terreinonderhoud	
	Gebouwonderhoud	
	Verbouwingen/renovatie	
	Belastingen/heffingen	
	Energie/water	
	Afstoten huisvesting	
	Verzekeringen	
Diensten	Opslag/distributie	
	Restauratieve voorzieningen/catering	
	Risicobeheer	
	Schoonmaak	Binnenzijde object
		Glas
		Gevels
		Bijzondere zaken
		Extra opdrachten
		Overig
	Verhuizingen	
	Post	
	Repro	
	Afval	
	Overige diensten	
Middelen	Losse inrichting	Meubilair
		Groenvoorziening
		Kunst
		Overig
	Kantoorbenodigdheden	
	Vervoersmiddelen	
	Bedrijfskleding	
	Hulpmiddelen	
Informatie & Communicatie	Telecommunicatie	
	Datacommunicatie	
	Diversen	Informatie/presentatie
		Audio/visueel
		Overig
Facilitaire organisatie	Beheer	
	Inkoop	
	Arbeidsomstandigheden	Bedrijfsgezondheid
		Bedrijfsveiligheid
		Welzijn
		Ergonomie
		Overig
	Milieu	
	Kwaliteit	
	Risico	

Bij het samenstellen van het facilitaire assortiment gaat het om het afstemmen van de individuele behoeften van de pandbewoners op de organisatiebelangen en werkplekcriteria. De beslissingen hieromtrent betreffen zowel de kwantiteit als de kwaliteit van de individuele producten en diensten en tevens invulling van de vier proceselementen die leiden tot de individuele prestaties. Het is dus niet voldoende om te zeggen dat er wordt schoongemaakt. Bij de samenstelling van het assortiment behoort te worden aangegeven hoe vaak, wat, waarmee, hoe en door wie wordt schoongemaakt. Vooraf zal duidelijk afgebakend moeten worden wat wordt geleverd en tegen welke condities het wordt geleverd en zullen de zogenaamde grenzen van de dienstverlening helder moeten zijn vastgesteld. Het productbeleid en de samenstelling van het assortiment is zich bezighouden met de details waarbij ook de consistentie van het assortiment de nodige aandacht vraagt. Consistentie ten eerste met de dienstverleningsformule en ten tweede consistentie tussen de verschillende producten en diensten onderling. Dure kunstwerken aan de muur in samenhang met een zeer matige maaltijdverstrekking gaat niet samen.

Het facilitaire assortiment kan worden opgesplitst in collectieve diensten en facultatieve diensten. De keuze en samenstelling van de collectieve diensten heeft andere gevolgen voor de facilitaire organisatie dan de levering van facultatieve diensten. Facultatieve diensten worden op verzoek van de individuele klant geleverd en dat maakt het belangrijk dat de 'menumogelijkheden' van te voren aan de klant duidelijk zijn gemaakt. Dit kan bijvoorbeeld door de uitgifte van een producten- en dienstencatalogus. Een dergelijk menu is voor de collectieve diensten veel minder noodzakelijk, omdat de klant hiermee toch wel wordt geconfronteerd.

6.2.3. De rol van het management in het samenstellen van het facilitaire assortiment

Bij het samenstellen van het facilitaire assortiment ondervindt de facility manager één groot probleem: hij heeft geen geld. Een belangrijke speler in de samenstelling van het assortiment is het management. De aandeelhouders van de facilitaire organisatie vormen met hun budget in feite de financiers van het 'project' en zullen dus uiteindelijk ook hun goedkeuring moeten geven aan het samengestelde producten- en dienstenaanbod en de opgestelde condities hierbij. Zoals al genoemd spelen organisatiebelangen een belangrijke rol in facilitaire dienstverlening. Primair staat wellicht de continuïteit van de productiviteit van de pandbewoners, het management zal daar bepaalde aanvullende eisen en beleidsmatige randvoorwaarden bij stellen omdat de facilitaire dienstverlening bijvoorbeeld ook het gezicht van de totale onderneming mede bepaald en invloed heeft op de 'human resources' en het eindresultaat van de onderneming. Het management zal zich dan ook bezighouden met het stellen van bepaalde (rendements)normen en de mate waarin tegemoet gekomen moet worden aan de wensen van de klanten (het serviceniveau). De afspraken die hierover tussen het management en de facility manager worden gemaakt kunnen worden geformaliseerd in een dienstverleningscontract, ook wel service level agreement (sla) genoemd.

6.2.4. Kwaliteitsmanagement in dienstverlening en het managen van verwachtingen

Daar waar je fysieke producten levert kan de consument voelen, ruiken, zien en proeven wat de kwaliteit van het product is, of anders wordt er wel een houdbaarheidsdatum vermeld waarop de consument kan afgaan. Bij diensten gaat dat heel anders in z'n werk, en zal blijken dat deze kwaliteit niet alleen veel te maken heeft met de mensen die de prestatie leveren, maar ook met de verwachting die de klant van te voren heeft.

6.2.4.1. De onder- en bovengrens van dienstverlening

Professionele facilitaire dienstverlening bestaat uit het vervullen van wensen binnen van te voren vastgestelde grenzen. Als facilitaire organisatie heb je dan te maken met een tweetal extremen, de zogenaamde ondergrens en bovengrens, die de marge bepalen om het de klanten naar de zin te maken. De bovengrens wordt bepaald door geld. Het budget dat de aandeelhouders beschikbaar stellen voor het geheel van facilitaire diensten bepaalt de ruimte die de facilitaire organisatie heeft om invulling te geven aan de dienstverlening. Met een grenzeloos budget, u vraagt wij draaien, kan wellicht alles wat mogelijk is, maar moet alles wat mogelijk is ook kunnen is de vraag. En het antwoord is nee, want bij dienstverlening gaat het juist om de afstemming tussen wat de klant wil, wat de klant minimaal nodig heeft, wat de klant bereid is te betalen en wat je als facilitaire organisatie (financieel) kunt bieden. De ondergrens van de dienstverlening wordt bepaald door de kwaliteit. Deze ondergrens, de kwaliteit, is de zogenaamde pijngrens voor de klant. Dat wil zeggen dat als daaraan niet wordt voldaan de klanten hun ongenoegen zullen laten horen of gewoon weg zullen blijven en de diensten bij anderen gaan betrekken.

6.2.4.2. Definitie van kwaliteit

Kwaliteit kunnen we definiëren als datgene wat de klant tevreden stelt. Zodra je achteraf bezien aan de verwachting van de klant hebt voldaan zal deze tevreden zijn en zeggen dat er kwaliteit is geleverd. Er kan dus een situatie ontstaan waarin je als dienstverlener het gevoel hebt dat je niet volledig je best hebt gedaan of kunnen doen, maar waarvan de klant achteraf vindt dat er prima kwaliteit is geleverd. De klant is tevreden omdat zijn verwachtingen misschien toch al niet hoog waren gespannen of gewoonweg omdat de te leveren dienst niet belangrijk genoeg voor hem is en dus gewoon snel tevreden is. Anderzijds kun je als dienstverlener vinden dat je topkwaliteit hebt geleverd, maar dat de klant achteraf toch zegt dat er geen kwaliteit is geleverd. De klant is ontevreden omdat hij het onmogelijke misschien wel verwachtte en zijn ervaring niet dusdanig was. Kwaliteit in dienstverlening draait dan ook om de twee variabelen verwachting en ervaring.

6.2.4.3. Hoe de kwaliteit te beoordelen

Om de kwaliteit van dienstverlening te managen zullen we moeten kunnen beoordelen of er al dan geen kwaliteit is geleverd. Het meten van deze kwaliteit is echter lastig en heeft alles te maken met het soort dienst dat wordt geleverd. Daarnaast heeft kwaliteitsbeoordeling bij dienstverlening veel te maken met de subjectieve beleving van de mens. Wat is nu te warm of wanneer is iets nu schoon. Toch zijn er mogelijkheden en methodes om te komen tot een objectieve beoordeling. Materiegebonden diensten kunnen op redelijk gegronde wijze op kwaliteit worden beoordeeld, omdat er duidelijke handvatten zijn. De te leveren dienst heeft bepaalde voorspelbare eigenschappen. Als iets niet volgens de van te voren opgestelde normen schoon is nadat de schoonmaker is geweest, praten we over non-kwaliteit, als het pakketje niet is aangekomen op de afgesproken tijd en bestemming zal de klant niet tevreden zijn en is er dus geen kwaliteit geleverd, als de koffie koud wordt geserveerd is er geen sprake van kwaliteit evenals bij het foutieve drukwerk dat wordt geleverd. De kwaliteit van gegevensgebonden diensten zijn ook nog wel objectief te beoordelen. Door het schriftelijk bevestigen van bepaalde afspraken of het zichtbaar aanwezig zijn van bepaalde zaken die geregeld hadden moeten worden krijgen we al snel zicht op de geleverde kwaliteit. Maar diensten die alleen maar interactiegebonden zijn zijn zo ontastbaar dat we hiervoor slechts op het subjectieve woord van de klant kunnen vertrouwen om te beoordelen of er kwaliteit is geleverd of niet. Er is geen tastbaar bewijsmateriaal aanwezig en bij conflicten achteraf ontstaan vaak de zogenaamde 'zijn woord tegen mijn woord-situaties'. Als we de kwaliteit van interactiegebonden diensten al objectief willen kunnen beoordelen zoals dat bij producten kan, op basis van formeel vastgelegde en gestelde producteisen en -normen, zullen we moeten overgaan tot een vorm van uniform gedrag. Indien een medewerker die de dienst waarmaakt niet het gestelde uniforme gedrag vertoont (bijvoorbeeld met een glimlach goedendag, eet smakelijk tegen de klant zeggen) is er dus sprake van non-kwaliteit. Maar uniform gedrag is weer niet klantgericht, omdat het handelen op zich dan centraal wordt gesteld en niet de klant. Dus hoe ontastbaarder de dienst hoe belangrijker het managen van de verwachting vooraf wordt om achteraf zo objectief mogelijk de kwaliteit te kunnen beoordelen.

6.2.4.4. De ervaring is het waarmaken van de dienst

Daar waar het de ervaring van de klant betreft heeft de facilitaire organisatie voor het grootste gedeelte zelf de kwaliteit van de dienstverlening in de hand. De inzet van het personeel speelt hierin een doorslaggevende rol. Een klantgerichte instelling, een goed ontwikkeld facilitair zintuig en goede communicatieve vaardigheden zijn voor het personeel die de dienst waar moet maken onontbeerlijk. Kwaliteit van dienstverlening wordt in die zin ook sterk bepaald door het anticiperend gedrag van de facilitaire medewerkers. "Heeft u daar al aan gedacht" en dat soort opmerkingen vindt de klant zelden vervelend. Dienstverlening draait in die zin in belangrijke mate om attitude (van de dienstverlener) en om interactie (met de klant wel te verstaan). Een pro-actieve instelling van de medewerkers garandeert bijvoorbeeld dat er niets over het hoofd wordt gezien en dat je de klant een stap voor bent. Als we kijken naar de verschillende vormen van dienstverlening zal duidelijk zijn dat de kwaliteit vooral wordt bepaald door het personele optreden bij onverwachte gebeurtenissen, de zogenaamde improviserende dienstverlening. Het komt dan veelal aan op het improvisatietalent van de betrokkenen. Als de dienstverlener niet kan improviseren zal in voorkomende situaties de klant ontevreden worden achtergelaten. Is het zo dat bij planmatige dienstverlening op de situatie kan worden geanticipeerd en er eigenlijk niets mis hoeft te gaan door gewoonweg de dingen goed te doen en bij routinematige dienstverlening het handelen zo gewoon is geworden dat we hier als dienstverlener meer moeten uitkijken dat we de klant nog wel zien staan (zie ook de behandelde zeven zonden van dienstverlenende bedrijven), zo zal bij improviserende dienstverlening alles uit de kast moeten worden gehaald om de klant tevreden te stellen en een bevredigende oplossing aan te dragen. Dat vraagt talent en kunde van de medewerkers waarop getraind kan worden. Dit is bovenal van belang omdat de facilitaire organisatie door de klant wordt 'afgerekend' op de improvisatiescore en die score is dus in feite bepalend voor het imago van de facilitaire organisatie. Daarbij komt nog dat juist de improviserende dienstverlening het grootste gedeelte van de tijd van de facilitaire organisatie in beslag neemt. Deze activiteiten gaan immers dwars door alle reguliere activiteiten heen en verstoren daarmee op 'afroepbasis' de gewone dagelijkse gang van zaken.

6.2.4.5. Het managen van de verwachting

Maar wat kunnen we nou doen aan die verwachting van de klant? Een verwachting die pas achteraf, dus nadat de dienst is verleend, wordt uitgesproken kan niet meer worden waargemaakt. Het is daarom heel erg wezenlijk dat verwachtingen van te voren over en weer, tussen dienstverlener en klant, worden uitgewisseld. Alleen op deze manier kan de verwachting indien nodig worden getemperd of worden bijgesteld, opdat achteraf niet het 'onmogelijke' waargemaakt had hoeven te worden. Om verwachtingen te managen kunnen we als facilitaire organisatie een tweetal instrumenten hanteren, namelijk een centraal aanspreekpunt voor de pandgebruikers richting de facilitaire dienst ook wel servicedesk genoemd en een producten- en dienstencatalogus. Management van verwachtingen heeft in de eerste plaats te maken met communicatie tussen dienstverlener en klant. Door met de klant een dialoog aan te gaan worden we niet alleen in staat gesteld om te polsen of de verwachting van de klant wel realistisch is dan wel kan worden waargemaakt, we hebben tevens nog de mogelijkheid om de verwachting bij te sturen. En dat zal in veel gevallen nodig zijn wanneer de klant niet precies weet wat je als dienstverlener nou voor hem of haar kunt betekenen. Om de communicatie tussen dienstverlener en klant in goede banen te leiden kunnen we gebruik maken van een facilitaire servicedesk. Door het zogenaamde one-stop shopping-principe te hanteren kun je als facilitaire organisatie het assortiment geïntegreerd aanbieden aan de klant, je kunt de behoefte van de klant integraal afstemmen met de facilitaire dienstverleners en je wordt in staat gesteld om klantgericht te werk te gaan: de klant wordt namelijk op één punt geholpen. De producten- en dienstencatalogus dient hiertoe als leidraad om de klant kennis te laten nemen van het diensten-aanbod en de daaraan gekoppelde randvoorwaarden. Het geeft zicht op de activiteiten, de spelregels, de prijzen et cetera. Het is aldus een eenvoudig hulpmiddel om de klant zelf kennis te laten nemen van hetgeen hij mag verwachten.

Met het aangaan van een dialoog met de klant moeten we echter ook weer niet doorslaan. De klant wil namelijk niet voor ieder wissewasje een dialoog voeren. Vooral sterk routinematige handelingen wil de klant vlot, zonder tussenkomst van iemand maar ook zonder daarvoor in de rij te hoeven staan afhandelen. Voorbeelden daarvan zijn de gevallen waarin de klant zelf en helemaal alleen de dienst moet maar ook kan waarmaken (denk aan zelfbedieningswinkels en -restaurants, de kaartjesautomaten voor de trein, geldautomaten en opwaardeerapparaten, het in een kleine oplage maken van copieën, een kopje koffie uit de automaat etc.). In deze situaties is het belangrijk dat de klant weet wat er van hem wordt verwacht en weet hoe te moeten handelen. Als dienstverlener moet je jezelf dan afvragen of de klant in staat is zo te handelen en of er sprake is van een vorm van motivering voor de klant om een bepaald gedrag te vertonen (een bepaalde beloning als tijdwinst bijvoorbeeld moet er op z'n minst in zitten). Pandgebruikers zullen bij het afschaffen van koffierondes altijd eerst tegenstribbelen en negatief reageren, totdat ze na verloop van tijd ook de positieve kanten van de koffiecorners hebben ervaren. Omdat we als facilitaire organisatie de ervaring van de klant hierbij niet meer helemaal zelf in de hand hebben of niet meer rechtstreeks kunnen ingrijpen, zal de kwaliteitszorg in deze gevallen van zelfproductie zich moeten concentreren op het optimaliseren van de participatie van de klant in het productieproces door goede voorlichting, heldere handleidingen, duidelijke aanwijzingen en bedieningsgemak. Want soms blijken klanten niet zo slim of handig te zijn als je als dienstverlener wel zou verwachten. Ook is niet iedereen in dezelfde mate bereid tot het doen van een zekere eigen inspanning, ofwel het leveren van een eigen bijdrage aan het productieproces van de dienst. Dit verschilt per soort klant (de variabelen tijd, geld, opleidingsniveau en positie spelen een rol), per situatie en per soort dienst (fast food versus sterren restaurant) die moet worden geproduceerd.

6.2.5. Productontwikkeling en innovaties

Productontwikkeling en innovatie is nodig om enerzijds het huidige aanbod te actualiseren en aan te passen aan het veranderende tijdsbeeld en de veranderende behoeften van de klant, anderzijds om een voorsprong op de concurrentie te nemen en/of te houden. Productontwikkeling en innovaties bij diensten betekent in feite procesvernieuwing of procesinnovatie. Immers, de dienst of de prestatie is daar het resultaat van.

Productontwikkeling en innovatie ten aanzien van facility management is niet gericht op meer consumptie. Dat zou immers in strijd zijn met het doel van de facilitaire dienstverlening: het zorg dragen voor continuïteit en stimuleren van de productiviteit van de pandbewoners tegen een verantwoord kostenniveau. Productontwikkeling behoort gericht te zijn op het bieden van kwalitatief betere en/of efficiëntere producten en diensten. Meer kwantiteit zou in een aantal gevallen zelfs averechts kunnen werken en verstoring van de productiviteit betekenen. Op een gegeven ogenblik houdt de toegevoegde waarde van nog meer mogelijkheden en functies van een apparaat gewoon op en slaat het om in gebruiksonvriendelijkheid. Nog vaker schoonmaken wil niet zeggen dat het inderdaad schoner wordt; nog meer menukeuzemogelijkheden in het bedrijfsrestaurant wil niet zeggen dat de klant tevredener wordt; nog meer parkeerplaatsen voor het personeel en gasten is niet altijd bevorderlijk voor de bereikbaarheid van het pand.

Als we kijken naar de bronnen van productontwikkeling of hoe het ontstaat, is er een tweetal bronnen voor aan te wijzen: de market driven-innovatie en de technology driven-innovatie.

- **Market driven-innovatie**
  Market driven-innovatie is productontwikkeling of -vernieuwing die ontstaat bij of wordt gedreven door de vraagzijde van de markt, ofwel de klanten. Dat wil zeggen dat er nieuwe producten ontstaan als gevolg van veranderende behoeften, omdat er nieuwe segmenten, nieuwe klantgroepen worden aangeboord of ontstaan of dat er nieuwe gebruiksmogelijkheden of toepassingsgebieden van de betreffende producten en diensten worden gecreëerd.

  De roep om een beter bereikbare facilitaire organisatie en meer gemak voor het indienen van verzoeken tot dienstverlening heeft ervoor gezorgd dat het one stop shopping-model vanuit de detailhandel z'n intrede deed in organisaties. Ook allerlei veranderingen die in het dienstverleningsproces worden aangebracht die betrekking hebben op de sfeer en beleving van de werkplek komen doorgaans voort uit veranderende behoeften van de klant. Als gevolg van de toenemende aandacht voor het milieu ontstond het gescheiden verzamelen van afval in zowel het bedrijfsrestaurant als op de werkplek. De aparte 'afvalbakken' voor papier en plastic bekers staan in vrijwel ieder kantoor. Veel ergonomische innovaties zijn een direct gevolg van de behoefte van pandbewoners aan een betere, stimulerende en gezondere werkplek. De tweeverdieners hebben er voor gezorgd dat er mogelijkheden kwamen voor kinderopvang in het bedrijf. Het thuiswerken en in deeltijd werken komt voort uit de behoefte om minder tijd in de file door te brengen en meer 'quality time' te genieten. Het gevolg hiervan voor de facilitaire organisatie is minder vierkante meters en meer communicatie.

- **Technology driven-innovatie**
  Er is sprake van technology driven-innovatie als de productontwikkeling of -vernieuwing het gevolg is van een verandering in technologische mogelijkheden of toepassingen, en wordt gegenereerd door de aanbodzijde van de markt. Door de progressie in de technologische omgeving ontstaan er allerlei nieuwe vormen van diensten. Voorbeelden daarvan zijn industrialisering van het dienstverleningsproces, telematica-toepassingen, het verlengen of ver-

korten van het dienstverleningsproces en het bundelen van verwante diensten.

Dankzij de inzet van computerapparatuur is het proces van tal van diensten ingekort en efficiënter gemaakt en is het aantal diensten uitgebreid. Wat vroeger werd verricht door een professionele drukkerij kan tegenwoordig met behulp van desktop publishing technieken en laserprinters vanaf de werkplek worden gedaan. Konden we eerst alleen maar copiëren, thans kan een copieerapparaat vergroten, verkleinen, kleuren copiën maken, bundelen en nieten. Koffiecorners zijn mede mogelijk dankzij zeer verfijnde apparatuur, waarmee zowel koffie, thee, chocolademelk en nog meer kan worden bereid in no time. Met name op het gebied van gebouwbeheer en installaties is er nogal wat veranderd door de technologische mogelijkheden. De temperatuur, luchtvochtigheid, beveiliging en de bediening van de zonwering kan tegenwoordig, ongeacht de omvang van het gebouw, met gemak worden geregeld met behulp van slechts één personal computer. Als het moet treedt zelfs de gehele bediening automatisch in werking op geprogrammeerde tijden.

Met productontwikkeling kan weliswaar een betere kwaliteit en/of meer efficiency worden bereikt, ook gaat er vaak een verschuiving in kosten van de facilitaire dienstverlening mee gemoeid. Neem het thuiswerken als voorbeeld: hiermee treedt een verschuiving van integrale huisvestingskosten richting integrale communicatiekosten op. De efficiency-voordelen zullen dus altijd over de totale breedte van de 'werkplekkosten' moeten worden bezien en niet slechts op de in eerste instantie voor de hand liggende of zichtbare kostenvoordelen.

Een methode om op een gestructureerde manier met productontwikkeling en innovatie van facilitaire diensten bezig te zijn is om de vijf fasen van het dienstverleningsproces en de vier proceselementen samen te voegen tot een matrix. Wat hiermee ontstaat is een dienstverleningsprocesmatrix, die is opgebouwd uit twintig aandachtsvelden die gezamenlijk leiden tot uiteindelijk één prestatie. Iedere dienst die de facilitaire organisatie levert kan in deze matrix uiteen worden gezet en worden beoordeeld op mogelijkheden voor vernieuwing, verandering of verbetering door naar elk van de twintig velden kritisch te kijken. Immers, wanneer ergens in de matrix een aanpassing plaatsvindt leidt dit automatisch tot een andere dienst. Soms schokkend anders, soms minder schokkend en slechts onzichtbaar efficiënter. De matrix ziet er als volgt uit:

	Personeel	Participatie klant	Procedures	Producten
Entree				
Probl. analyse				
Actieplanning				
Uitvoering				
Beëindiging				

Figuur 6.1. De dienstverleningsprocesmatrix.

Om de prestatie kwalitatief beter te maken en efficiënter tot stand te laten komen is ten eerste belangrijk om een algemeen beeld van de verleende dienst te hebben en vooral de mate waarin klanten direct of indirect bij de dienst zijn betrokken. Is de dienst een noodzakelijk kwaad, een nood-zakelijkheid, een luxe-aangelegenheid of misschien zelfs een verworven recht. In sommige gevallen is het ook niet altijd mogelijk om een bepaalde dienst te isoleren en zondermeer te veranderen, omdat een verandering van de ene dienst gevolgen kan hebben voor andere diensten. De mate van integraliteit en in hoeverre daaruit synergie-effecten (kunnen) worden behaald speelt hierin een belangrijke rol. Dit levert tevens een goed zicht op of er mogelijkheden zijn om bepaalde diensten samen te voegen danwel in z'n geheel te schrappen. De volgende vragen kunnen tot dit inzicht leiden:

- Wie verleent wanneer de huidige dienst?
- Hoeveel klanten komen ermee in aanraking?
- Wat is het belang (consumptie-aandeel ofwel kosten) van de individuele klanten?
- Wat is de contactfrequentie?
- Wat is het benodigd vertrouwen in de contactpersoon?
- Wat is de complexiteit van de dienst?
- Wat is de benodigde coördinatie met andere diensten?
- Wat is de invloed van de dienst op de (continuïteit van de) productiviteit?
- Waartoe leidt de dienst in andere zin?

Als het algemene beeld van de dienst is ontstaan kunnen voor de vier proces-elementen in elk van de vijf fasen van het dienstverleningsproces een aantal afvragingen worden gedaan. Als opmerking hierbij geldt dat niet voor iedere dienst alle proceselementen in de verschillende fasen van het dienstverle-ningsproces (even duidelijk) aanwezig hoeven te zijn.

Personeel:
- Wie is erbij betrokken?
- In welke rol?
- Welk kwaliteitsniveau (kennis, opleiding, ervaring) is nodig?
- Is het personeel specialistisch of generalistisch?
- Wat is de noodzaak en toegevoegde waarde van het betrokken personeel?

Participatie klant:
- Wie is de betrokkene?
- In welke rol (dominant, gedomineerd of geen rol)?
- In welke hoedanigheid (actief of passief)?
- Wat is de noodzaak en toegevoegde waarde van de betrokken klant?
- Wat is de impact van de dienst op de (continuïteit van de) productiviteit van de klant?

Procedures:
- Welke informatie is benodigd?
- Welke systemen en regels (kunnen) worden gebruikt?
- Wat is de toegevoegde waarde van de gebruikte procedures?

Producten:
- Welke communicatiemiddelen en andere producten komen er in welke fysieke omgeving aan te pas?
- Wat is de toegevoegde waarde van de fysieke omgeving?

Een goede voedingsbodem of inspiratiebron voor innovaties zijn allerlei vakbeurzen, vakliteratuur, vakbladen en seminars. Maar ook een bezoek aan andere (collega) bedrijven en instellingen en het uitwisselen van gedachten en ervaringen met branchegenoten werkt doorgaans heel stimulerend en is goed voor het creatieve proces dat op gang moet worden gebracht. Een ideeënbus of het uitschrijven van een prijsvraag onder het personeel levert ook doorgaans allerlei nieuwe en verfrissende invalshoeken op ten aanzien van verbetering of vernieuwing van de dienstverlening. Belangrijk is om afstand te (kunnen) nemen van de dagelijkse beslommeringen en als het ware boven de materie te gaan zweven. Van een afstand ziet de dagelijkse gang van zaken er anders uit dan wanneer je er middenin zit. En in ieder geval is voor productontwikkeling vereist dat men niet vastzit aan het heden en de huidige werkwijze. "We doen het al jaren zo, dus..." en dat soort uitspraken zijn uit den boze en leiden tot verval en stagnatie. Alles kan anders en soms moet het gewoonweg anders om concurrerend te blijven. Alleen als dat moment is aangebroken is het vaak al te laat om nog te kunnen veranderen. De klant mag dan misschien wel tevreden zijn op een gegeven moment, de dienstverlener zou dat eigenlijk nooit mogen zijn. Want die tevredenheid van de klant houdt ook een keer op. En dat is niet zelden als hij direct of indirect met een andere dienstverlener in aanraking komt, die het anders doet, beter doet, leuker doet, gemakkelijker doet, efficiënter doet, (milieu)vriendelijker doet, effectiever doet, kortom nog meer aan de verwachting van de klant tegemoet komt of de verwachting van de klant zodanig weet bij te stellen dat de prestatie die voorheen werd geleverd niet meer aan deze verwachting voldoet. Alle ontwikkelingen die het vakgebied ván de facility manager raken zullen door hem op de voet moeten worden gevolgd. Dat is een hels karwei en voor de 'meewerkend' facility manager een absolute utopie. Maar om van een 'meewerkend' facility manager een 'meedenkend' en 'vooruitziend' facility manager te worden is het eerst nodig om de handen maar weer eens 'in' de mouwen te steken en de dagelijkse gang van zaken ter herzien. Tussen doenerig en dienstig zit immers een levensgroot verschil. En juist dat verschil kan hem zitten in de huidige manier van dienstverlening en de 'vernieuwde' manier van dienstverlening.

Het zal niemand verbazen dat productontwikkeling geld kost. Dat geld zal ergens vandaan moeten komen en het management zal daar in eerste instantie niet juichend tegenover staan. Toch is het de taak van de facility manager om deze aandeelhouders van het nut en het belang van productontwikkeling te overtuigen. Immers, de investering in vooral tijd levert voor een ieder in de organisatie direct danwel indirect voordelen op. Meer kwaliteit en een betere efficiëntie op termijn is een mooi vooruitzicht, alleen kost het nu even geld.

6.2.5.1. De toepassing van informatietechnologie

Binnen de facilitaire dienstverlening neemt de toepassing van informatie-technologie een steeds belangrijkere plaats in. Niet alleen zijn er steeds meer diensten die (kunnen) worden geïndustrialiseerd. Ook worden allerlei specifieke facilitaire taakgebieden steeds vaker ondersteund met computertoepassingen. Facility managers gaan inzien dat je, ondanks dat heel veel facilitaire taken mensenwerk is en blijft en je echte service niet kunt verpakken in een doosje, door toepassing van informatietechnologie bepaalde facilitaire processen efficiënter en effectiever kunt laten verlopen en bovenal inzichtelijker kunt maken. De eerste stappen op dit gebied werden gezet bij de 'exacte' disciplines van het vak, zoals gebouwbeheer, ruimtebeheer en bepaalde administratieve processen. Vanuit de architectenwereld werden daar later de CAD-systemen aan toegevoegd, zodat naast een tekstuele weergave ook een grafische weergave van het gebouw en de inventaris kon worden opgevraagd. Hier betreft het allemaal nog redelijk statische facetten van de facilitaire dienstverlening. Het zijn dan ook de back office-functies die op dit moment door de meeste grote organisaties wel op enigerlei wijze worden ondersteund met geautomatiseerde hulpmiddelen. Met de front office, waar het juist de dynamische processen van een facilitaire organisatie betreffen, is het wel anders gesteld. Hier is men bovenal erg doenerig van aard en minder bedreven in of genegen tot 'boekhouden'. Vandaar ook dat zaken als klachtenafhandeling, het beheer van het vergaderboek, de bezoekersregistratie, het beheer van de parkeerplaatsen et cetera nog steeds maar mondjesmaat worden ondersteund met geautomatiseerde hulpmiddelen. De voornaamste oorzaken hiervoor zijn het onvermogen en ongeloof om tijdens het klantencontact een computertoepassing te hanteren en wellicht omdat goede hulpmiddelen nog steeds ontbreken. De front office-processen vereisen een flexibele, op de organisatie en specifieke taak toegesneden, snelle en bovenal eenduidige en gebruikersvriendelijke werkwijze van de pakketten. De gebruiker moet daarin volledig centraal staan en niet het systeem. Front office is mensenwerk, back office is systeemwerk. Het Facility Management InformatieSysteem (FMIS), dat alle facilitaire vakgebieden integraal ondersteund, is en blijft nog steeds een utopie. De totale facilitaire dienstverlening beslaat een te breed gebied hetgeen onmogelijk in één of zelfs in een aantal implementatieronden kan worden bestreken. Het zijn niet zozeer de systemen die daar tekort in schieten, maar het ontbreekt de verantwoordelijke personen gewoonweg aan de benodigde kennis en vaardigheden om een dergelijk groot complex traject door te voeren en naderhand actueel en draaiend te houden.

6.3. Het prijsbeleid

Vraag: "Wat is nou eigenlijk de prijs van facilitaire dienstverlening?"
Antwoord: "Het zijn de kosten die externe dienstverleners in rekening brengen."

Prijs is voor velen pas een tastbaar gegeven op het moment dat het in een prijslijst of op een factuur staat vermeld. Zeker met betrekking tot facilitaire dienstverlening was, en in veel gevallen is het nog steeds zo dat de prijs die derden in rekening brengen het enige tastbare is van de hele dienstverlening. De interne klant, de pandbewoners, redeneert vaak dat de kosten van de huisvesting, de energie, het bedrijfsrestaurant, het drukwerk, het onderhoud en de mensen die zich daar allemaal mee bemoeien er toch wel zijn, ongeacht wie consumeert en hoeveel er wordt geconsumeerd. Daarom moet de facilitaire dienstverlening gewoon worden betaald vanuit het centrale budget van de onderneming. Tenzij ze persoonlijk met de kosten worden geconfronteerd in de zin van interne doorbelasting. De klant schrikt daar meestal van en beseft dan pas dat facilitaire dienstverlening eenvoudigweg geld kost waarop iedere individuele afnemer z'n eigen invloed heeft. Het management wist dat al, omdat ze het budget elk jaar opnieuw naar beneden toe bijstelden.

6.3.1. Het waarom van het prijsbeleid

Binnen de marketing is de prijs het enige instrument dat geld oplevert. Het product, de distributie, de promotie en het personeel kosten allemaal geld. Als we daarom als bedrijf of instelling kostendekkend willen draaien of winst willen maken, dan zullen we voor de producten en diensten die we leveren een bepaalde prijs moeten vragen. Als we dat niet doen zullen we een goede subsidieverstrekker of sponsor moeten hebben of anders houdt de organisatie gewoon op te bestaan. Dat geldt voor zowel commerciële als voor non-profit organisaties. De intern opererende facilitaire organisatie is er niet om winst te maken maar om zorg te dragen dat er geen verstoring optreedt in de productiviteit van de medewerkers. Maar de diensten die ze hierbij verlenen kosten wel geld, dus dat geld zal op de één of andere manier door iemand moeten worden opgebracht. En daar is in dit geval het gehele bedrijf of instelling aan wie de facilitaire organisatie haar diensten verleent voor verantwoordelijk. Het primaire proces zal minus alle daarmee verbonden kosten van grondstoffen en personeel namelijk genoeg geld moeten genereren om de facilitaire diensten te kunnen bekostigen en wellicht nog wat over te houden. Een simpele rekensom leert dan dat hoe minder kosten er worden gemaakt met de facilitaire dienstverlening hoe meer de onderneming als geheel aan winst overhoudt. Dat klopt, maar het primaire proces leidt tot een beroep op facilitaire dienstverlening, zodat er altijd een minimaal niveau van facilitaire dienstverlening zal zijn en daarmee een minimaal kostenniveau.

De functie van de prijs voor de interne facilitaire organisatie is niet om geld te verdienen, maar om een verantwoord kostenniveau van dienstverlening te bereiken. Dit betekent dat ze in staat moet zijn om de kosten van de facilitaire dienstverlening zo laag mogelijk te houden waarbij een bepaalde kwaliteit die als ondergrens zijn gesteld gewaarborgd is. Het prijsbeleid vertaalt zich dan in het inzichtelijk maken van de kosten die met de facilitaire dienstverlening zijn gemoeid naar de verschillende afnemers toe. De bedoeling hiervan is tweeërlei:
- De klant (meer) kostenbewust maken.
- Een vergelijking met de markt aantonen ten behoeve van het management.

De overstap naar het actief voeren van een prijsbeleid heeft doorgaans verstrekkende gevolgen voor zowel de facilitaire organisatie als voor haar klanten. De klanten vinden het meestal een vestzak-broekzak-verhaal en willen er liever niet aan. De achterliggende gedachte is meestal dat ze nu op hun vingers kunnen worden gekeken. Voor de facilitaire organisatie betekent het dat alle prestaties vanaf dat moment moeten worden gemeten en van een prijskaartje worden voorzien per individuele afnemer of afnemersgroep. Om de consumptie te registreren kan de facilitaire organisatie verschillende methodieken hanteren, zoals een bonnetjes-systeem, magneetkaartregistratie, maar de meest voor de hand liggende is natuurlijk wel de inzet van software. De vervolgstap is dan het periodiek inzichtelijk maken van deze kosten door ze intern door te belasten naar de verschillende kostenplaatsen van de afnemers. De voordelen van een prijsbeleid zijn er ook:

- Inzicht in de consumptie van de verschillende afnemers en afnemersgroepen.
- Inzicht in periodieke consumptiepatronen en seizoensinvloeden.
- Hard bewijsmateriaal voor een vergelijking met de markt.
- Hard bewijsmateriaal voor een onderlinge vergelijking van de klanten.
- Er komt informatie beschikbaar ten behoeve van het opstellen en verfijnen van contracten met externe leveranciers.
- Voorbereiding om met de facilitaire organisatie de markt op te gaan.

Het antwoord dat eerder op de gestelde vraag werd gegeven is dan ook een typisch antwoord van de klant. De professionele facility manager zou namelijk hebben geantwoord:
"De prijs van facilitaire dienstverlening is de totale facilitaire kosten gedeeld door de cumulatieve afname van de individuele klanten."

Met de prijsstelling van diensten is wel iets merkwaardigs aan de hand, wat weer alles te maken heeft met het specifieke karakter van diensten, zoals de ontastbaarheid ervan. Als bijvoorbeeld een uur technisch onderhoud aan een bepaalde installatie bij leverancier A ƒ 85,00 kost en bij leverancier B ƒ 125,00, welke van de twee is dan het meest interessant? Op het eerste gezicht natuurlijk leverancier A, die is goedkoper. Maar als leverancier B hetzelfde werk in de helft van de tijd verricht is B weer veel interessanter. En juist omdat de hoeveelheid werk die een dienstverlener verricht in een bepaalde tijd niet eenduidig kan worden bepaald, zeggen de onderlinge tariefverschillen veel minder dan bij fysieke producten. Een liter cola van merk A is de gelijke hoeveelheid als een liter cola van merk B. Het prijsverschil zal daarom wel iets te maken hebben met de onderlinge kwaliteit- en smaakverschillen. Hoe meer tastbaar en meetbaar de prestatie is, hoe beter een onderling prijsvergelijk mogelijk is en ook daadwerkelijk zin heeft.

In dit licht moet ook de ontwikkeling van facilitaire kengetallen worden gezien. Het oogpunt daarvan is om te komen tot een eenduidige definitie van de verschillende facilitaire producten en diensten, op basis waarvan een vergelijking kan worden gemaakt tussen de verschillende aanbieders van facilitaire dienstverlening. Alle facilitaire producten en diensten die er maar te bedenken zijn worden dan opgedeeld in de meest uniforme hoedanigheid en worden dan kostendragers genoemd. Het gaat er bij de prijs van facilitaire diensten namelijk niet om wie het goedkoopst is, maar wat voor niveau van dienstverlening daar tegenover staat. Een kopje koffie dat door de klant uit de automaat wordt gehaald is nu op het eerste gezicht eenmaal goedkoper dan datzelfde kopje dat op de werkplek van deze klant wordt geserveerd. De kostprijs van de koffie is weliswaar hetzelfde, alleen wordt de uiteindelijke prijs bepaald door alle kosten 'vanaf zand tot klant' te berekenen. En bij de opsplitsing van de koffievoorziening in dit voorbeeld naar de verschillende kostendragers toe, blijkt dan dat de component personeelskosten of service het grote verschil uitmaakt. Daarnaast speelt er bij zelfbediening nog een grote verborgen kostencomponent mee, en dat is derving. Derving van productiviteit van de pandbewoners wel te verstaan, dat vaak verder gaat dan slechts de verstoring van de productiviteit die de dienst afneemt. De mens als sociaal wezen verstoort vaak ook de productiviteit van collega's door even een praatje aan te gaan. Deze kosten staan op geen enkele balans en zeker niet in de offerte van externe dienstverleners.

6.3.2. De prijsbepaling

Voor het vaststellen van de prijs bestaat er een drietal methoden:
- Kostengeoriënteerd (integrale kostprijs, ABC).
- Vraaggeoriënteerd (budgetvragenboek).
- Concurrentiegeoriënteerd (marktconformiteit).

- **Kostengeoriënteerde prijsbepaling**
De kosten gemoeid met het leveren van de facilitaire diensten vormen de basis voor de prijs die wordt doorbelast. Het voordeel van deze prijsbepaling is dat je precies weet wat de minimale prijs moet zijn om nog 'winst' te maken. Maar er kleven veel meer nadelen aan deze manier om de verkoopprijs te bepalen. Het is bijvoorbeeld voor een groot aantal diensten niet eens mogelijk om van te voren vast te stellen wat ze kosten, omdat ze in het loop van het jaar pas worden geconsumeerd, en niemand weet precies hoeveel en de prijzen van de grondstoffen kunnen daarbij ook nog eens fluctueren. Daarnaast hangt de inkoopprijs van goederen meestal samen met het volume dat wordt afgenomen. Dan zijn er nog allerlei gemeenschappelijke kosten, die moeilijk zijn toe te wijzen aan bepaalde afnemers of afnemersgroepen. Goed voorbeeld hiervan is de receptie en de toegangscontrole. Een commerciële afdeling die veel bezoek krijgt zal daar veel meer een beroep op doen dan bijvoorbeeld een productie-eenheid die nimmer bezoek ontvangt. Wie ga je dan wat in rekening brengen. Maar bovenal ga je bij de kostenmethode voorbij aan de klant en de concurrentie.

- **Vraaggeoriënteerde prijsbepaling**
Bij de vraaggeoriënteerde of marktgerichte prijsstelling staat de klant centraal. Op basis van wat hij voor de verschillende diensten wil betalen wordt de prijs bepaald. Hierbij worden een aantal zaken verondersteld:
  - Dat de facility manager het belang van de dienst voor de klant kent.
  - Dat de facility manager het bestaan van substitutiemogelijkheden en de prijzen daarvan kent.

- Dat de klant weet wat het aanbod voorstelt (hij weet welke mate van dienstverlening hij mag verwachten).
- Dat de facility manager de tijd en moeite die de klant zich moet getroosten om het aanbod te verkrijgen in ogenschouw meeneemt.

De manier om achter de juiste prijs te komen op basis van wat de markt wil betalen is heel eenvoudig via marktonderzoek. Of de klant wordt gewoon gevraagd wat hij voor de dienst over heeft, of er wordt een bepaalde dienst aangeboden en er wordt daarbij met de prijs geëxperimenteerd. Door gedurende een periode verschillende prijzen te hanteren voor verschillende klantengroepen kan de reactie op de prijs worden gemeten. Dit is een vorm van testmarketing die wel werkt bij grote organisaties waar de verschillende klantengroepen ook inderdaad gescheiden eenheden zijn, en bij voorkeur bestaat uit verschillende business units. Als de spreiding van het testgebied te klein is, wordt het consumentengedrag van de klantengroepen onderling door elkaar beïnvloed omdat het testgebied te doorzichtig is om onafhankelijk van elkaar te kunnen functioneren.

- **Concurrentiegeoriënteerde prijsbepaling**
  In deze vorm van prijszetting staat het aanbod ten opzichte van dat van de concurrent centraal. De prijs wordt bepaald door het eigen aanbod te vergelijken met dat van de concurrent en vervolgens de prijzen te vergelijken. De prijs komt dan tot stand door de gewenste positie ten opzichte van de concurrentie in ogenschouw te nemen en te anticiperen op de mogelijke tegenactie die de concurrent zal nemen op de prijsstelling. Het achterhalen van de prijzen van concurrenten is voor de facility manager heel eenvoudig. Door gewoonweg offertes aan te vragen of de concurrent uit te nodigen onder het mom van uitbesteding van de dienst, zal de externe aanbieder allicht voldoende gegevens prijsgeven op basis waarvan de facility manager een vergelijking kan maken.

  Hoe komt nou de beste prijs tot stand? In het voorbeeld met de kippen, het graan en het marktplein lijkt dat veel eenvoudiger dan bij facilitaire diensten: vraag en aanbod ontmoeten elkaar gewoon en na bieden en laten ontstaat de ogenschijnlijk beste prijs als er een ruilproces tot stand komt. Op de groente- en bloemenveiling komt de prijs ook door vraag en aanbod, bieden en laten tot stand. Maar als de groente uiteindelijk in de winkel ligt spelen andere factoren ook een belangrijke rol. Want ondanks dat groenteboer Jansen en Klaasen dezelfde inkoopprijs hebben, kan de winkelverkoopprijs van hun bloemkool onderling verschillen. De beste prijs wordt dus bepaald door meerdere factoren dan alleen vraag en aanbod. Marketingtechnisch of beter economisch gezien komt de beste prijs als volgt tot stand:
  1. Weten wat de kostprijs is.
  2. Vervolgens weten wat de markt kan en wil betalen.
  3. Kijken wat de concurrentie vraagt en wat deze mogelijk zal gaan doen als jouw prijs is bepaald.

  Bovenal is het belangrijk om een bepaald doel met de prijsstelling voor ogen te hebben. De prijs moet aldus passen bij de marketingstrategie. In die zin zal het duidelijk zijn dat een lage prijs stimulerend werkt op de consumptie en een hoge prijs juist de consumptie ontmoedigt. Als de facility manager het gebruik van de eigen faciliteiten wil aanmoedigen, en wil voorkomen dat pandbewoners extern uitwijken voor bijvoorbeeld lunches, vergaderingen en drukwerk, zal zijn prijs lager moeten zijn dan die van externe aanbieders, vooropgesteld dat minimaal dezelfde kwaliteit wordt geboden.

Nog een belangrijke factor in de prijsstelling van facilitaire diensten is het onderscheid dat er bestaat tussen *collectieve diensten* en *facultatieve diensten*. Juist omdat de collectieve diensten door de gehele organisatie worden afgenomen, zullen de kosten daarvan ook uitgesmeerd moeten worden over de verschillende afdelingen. De verrekeningsbasis hiervoor is bijvoorbeeld het zogenaamde vierkante metertarief. De facilitaire kosten worden dan omgeslagen naar het aantal vierkante meters dat een afdeling in gebruik heeft. Het vierkante metertarief is echter niet in alle gevallen bruikbaar. Bij collectieve diensten is het vaak ook onduidelijk wie er nou het meeste een beroep op doet en in welke hoedanigheid dat gebeurt. Een magazijnmeester heeft weliswaar veel vierkante meters in gebruik, maar is het daarom ook rechtvaardig om al deze meters op zijn conto te laten komen. Hierom is het voor collectieve diensten ook moeilijk om een vergelijking met de markt te maken. Iedere huisvestingssituatie is anders, ieder bedrijf is anders en er worden al gauw appels met peren vergeleken, ook al wordt er gebruik gemaakt van kengetallen. Het soort mensen dat wordt gehuisvest, het klimaat en het gebruiksdoel zijn factoren die bijvoorbeeld invloed hebben op de onderhoudsbehoefte van een pand. Als in Bloemendaal, hartje Amsterdam en in Steenwijksmoer identieke panden verrijzen, zal dit onderling in de 'prijsstelling' of kostenstructuur van de facilitaire dienstverlening een groot verschil opleveren. De huurtarieven, de ligging en bereikbaarheid en de al aanwezige infrastructuur kunnen en zullen onderling enorm verschillen hetgeen terugkomt in de integrale huisvestingskosten. *Regioverschillen* zijn daarmee evident, maar ook de verschillen in branche, huisvestingsdoel en succes of marktpositie van de onderneming bepalen in grote mate de kosten van de dienstverlening. Succesvolle bedrijven kunnen nu eenmaal meer uitgeven aan ondersteunende diensten en zullen dit ook doen. Luxe wordt dan vaak verheven tot een verworven recht. In de zorgsector en non-profit sector is een prestigieus pand vaak not done, terwijl in de financiële dienstverlening het een must is om voldoende kwaliteit en soliditeit uit te stralen naar investeerders en beleggers. De commerciële- of *representatiefunctie* van de huisvesting, middelen en services spelen dan ook een belangrijke rol in de prijsbepaling en het niveau van wat verantwoord wordt geacht. Verantwoord wil in die zin ook zeggen: hetgeen het management bereid is om uit te geven aan facilitaire dienstverlening. Dit kan in de diversiteit aan diensten die er worden verleend enorme verschillen opleveren. Meer in het oog springende diensten krijgen van het management natuurlijk budgetvoorrang als er voor de gehele onderneming een commercieel doel mee is gediend. Interieur heeft nu eenmaal een grotere representatieve waarde voor het bedrijf of instelling dan het wel of niet hebben van een eigen drukkerij. De prijsconsequentie is dan vaak dat het geld dat opgaat aan het ene moet worden bezuinigd op het andere. Deze verschillen komen aan het licht als de facility manager zich goed oriënteert op de 'markt' en zich verdiept in de besluitvorming van de aandeelhouders. Het management of, in het meest ideale geval, iedere klantengroep zal een bepaalde prioriteit kunnen aangeven in het gewenste dienstverleningsniveau en het beschikbare budget voor de verschillende diensten. Marktonderzoek ofwel de afnemersanalyse heeft daar antwoord op gegeven.

6.3.3. De kosten van de werkplek

Om aan te geven wat de prijs is van facilitaire dienstverlening kunnen we de kosten van de werkplek berekenen. Deze worden jaarlijks door verschillende instanties en organisaties gemeten door in het algemeen gesteld de totale uitgaven en operationele loonkosten aan huisvesting, onderhoud, energie, bewaking, inrichting, kantoorautomatisering et cetera bij elkaar op te tellen en te delen door het aantal werkplekken dat de organisatie telt. In het begin van de tachtiger jaren lag dit prijspeil voor de gemiddelde organisatie-werkplek op ca. ƒ 8.000,00 per jaar. Eind 1995 kost een werkplek gemiddeld al ca. ƒ 30.000,00 (bron: FMH Facility Management te Bussum). Dit zijn cijfers die gelden in een administratieve kantooromgeving, waarbij in het-zelfde onderzoek naar voren kwam dat een werkplek minimaal ƒ 16.100,00 kost en maximaal ƒ 48.647,00. Voor het eerst sinds de cijfers werden geme-ten overstijgen de integrale kosten voor communicatie (kantoorautomatise-ring en telecommunicatie) die van de huisvesting. Hieruit blijkt ook wel het toenemende belang van communicatie voor het bedrijfsleven en de instellingswereld.

6.3.4. Marktconformiteit

De facilitaire organisatie krijgt doorgaans van de aandeelhouders de opdracht of boodschap mee om een verantwoord kostenniveau aan de dag te leggen. Eigenlijk bedoelen ze hiermee dat de facilitaire organisatie in staat moet zijn om marktconform te opereren. *Marktconform wil zeggen tegen hooguit dezelfde prijs en met minimaal dezelfde kwaliteit als een concurrent*. Als de interne verrekenprijs en de kwaliteit van dienstverlening die daar tegenover staat niet marktconform zijn, kunnen de aandeelhouders beter investeren in een externe leverancier, omdat deze dezelfde mate van continuïteit van het primaire proces en dezelfde kwaliteit kan waarmaken voor minder geld. Ofwel, het rendement van de externe leverancier is hoger. Dit is de belangrijkste reden waarom de facilitaire organisatie minstens markt-conform moet kunnen opereren, wil ze bestaansrecht hebben en houden.

Anderzijds geldt ook dat prijsbeslissingen genomen dienen te worden op basis van wat de markt wenst en bereid is te betalen, als ook het assortiment op de markt is afgestemd. Dat is de enige juiste wijze van prijsbeleid voeren die in overeenstemming is met de economische wetten. We zagen al eerder dat de waarde of de prijs van een product niet vast staat in een markt waar sprake is van vrije concurrentie. Dan zijn het de economische wetten van vraag en aanbod die de prijs bepalen. Kosten geven in deze situatie slechts de bodemprijs aan, de prijs die het product minimaal moet opbrengen willen we geen verlies lijden. In een marktgeoriënteerde situatie, waarin zowel naar de klanten als naar de concurrentie wordt gekeken, kan budget nooit de basis vormen voor de prijsstelling. Een budget is een vast gegeven, een bijna dwingend voorschrift dat geen ruimte biedt om op marktfluctuaties in te springen. De facilitaire organisatie die met een vast budget moet rondkomen zit in dezelfde situatie als die ene bakker die voor zijn brood als gevolg van verticale prijsbinding *f* 2,50 moet vragen, terwijl al z'n concurrenten niet aan deze prijsafspraken vastzitten, en dus hoger of lager kunnen gaan. De dreiging voor facilitaire organisaties komt van buiten, dat wil zeggen van externe aanbieders. Het management, de aandeelhouders, maakt op basis van de reputatie, het prijsniveau en het verkooptalent van de externen de vergelijking met het kosten- en kundeniveau van de eigen facilitaire organisatie. De prijsstelling zal daarom ook marktgeoriënteerd moeten zijn omdat dat het enige vergelijkingsmateriaal en dus het verantwoorde niveau is.

Het budget dat de facilitaire organisatie voorheen kreeg voor de totale facilitaire dienstverlening kan daarom maar beter worden afgeschaft. Niet de financiën leiden de verkoopprijs, maar de markt, rekening houdend met het kostenniveau. En het moet juist voor de facility manager de kunst zijn om zijn prijs dusdanig te bepalen dat de gestelde doelen worden gehaald, de aandeelhouders tevreden zijn en de klant wellicht boven verwachting wordt voorzien van diensten. De facility manager dient dan ook geen begroting meer in, maar ontwikkelt en presenteert een heus marketingplan. In het marketingplan wordt het prijsinstrument gehanteerd om de kosten van de dienstverlening in evenwicht te brengen met inzichten in zaken als: continuïteit, arbeidsomstandigheden, werkplekssatisfactie en de invloed op de productiviteit en kwaliteit van de productie.

6.4. Het distributiebeleid

Distributiebeleid bij diensten lijkt in eerste instantie wat merkwaardig. Diensten zijn immers ontastbaar dus je kunt ze niet vervoeren van A naar B en je kunt ze ook niet opslaan in een magazijn. Dat is weliswaar allemaal juist, alleen gaat distributie over veel meer zaken dan alleen transport en opslag. In hoofdzaak draait distributie, of het nu gaat om tastbare producten of om diensten, uiteindelijk om de *verkrijgbaarheid* en *toegankelijkheid* van het aanbod. De beslissingen hieromtrent hebben betrekking op de distributiekanaalkeuze en de distributielogistiek. In het eerste geval gaat het erom dat het dienstverleningsproces ergens en door iets of iemand moet worden geïnitieerd en vervolgens moet worden doorlopen om de prestatie uiteindelijk te leveren en bij de logistiek gaat het erom hoe of door wie de prestatie wordt geleverd. Omdat de klant medeproducent is en er doorgaans rechtstreeks contact is tussen afnemer en dienstverlener, lijkt het ook dat er altijd sprake zal zijn van directe distributie (initiëring en uitvoering van de prestatie vindt op hetzelfde moment plaats). Niets is minder waar, juist omdat diensten via een dienstverleningsproces tot stand komen. Er kan dan ook in veel gevallen een scheiding worden aangebracht tussen de verschillende fasen van het proces en de betrokkenheid van zowel dienstverlener als klant daarin. Het contactpersoneel tijdens de entree- en probleemanalysefase hoeven niet dezelfde personen te zijn als degenen die bij de uitvoering van de dienst betrokken zijn. Ook hoeft niet bij iedere fase van het dienstverleningsproces contactpersoneel betrokken te zijn.

Het distributiebeleid moet altijd bezien worden in het licht van de doelmarkt die men met de dienst voor ogen heeft en de positionering van de facilitaire organisatie. Deze geeft de richting aan voor de kanaalkeuze en de logistiek. Het is echter niet een dwingend voorschrift voor de totale invulling van de facilitaire dienstverlening. Andere factoren die bij het opstellen van het distributiebeleid namelijk meewegen zijn: het soort dienst dat wordt geleverd, de complexiteit van de dienst, de verschillende afnemersgroepen die worden bediend, het belang of de participatie van de individuele klanten, de omvang van de markt ofwel hoeveel klanten moeten worden bereikt, de contactfrequentie, de mate van coördinatie met andere diensten en de financiële middelen die de facility manager tot z'n beschikking heeft. In dienstverlening speelt distributie daarnaast een belangrijke rol bij de kwaliteit van de dienst, zoals die door de klant wordt ervaren. Kwaliteit in dienstverlening is het verschil tussen de ervaring en de verwachting van de klant, en beide factoren worden voor een belangrijk gedeelte door de distributie bepaald en kunnen hierdoor dus ook worden beïnvloed.

6.4.1. Het opzetten van het distributiekanaal

Het opzetten van het distributiekanaal behandelt de weg die een verzoek tot dienstverlening aflegt vanaf de initiëring tot en met de daadwerkelijke uitvoering van de dienst. Het initiëren van het dienstverleningsproces kan op een viertal manieren:

- De facilitaire dienstverlener initieert het proces.
- De klant initieert het proces.
- Een contract initieert het proces.
- Een situatie of gebeurtenis initieert het proces.

Iedere vorm van facilitaire dienstverlening kan op de vier genoemde wijzen worden geïnitieerd. Echter voor de meeste diensten ligt een bepaalde manier voor initiëring meer voor de hand dan een andere. Bij koffieverstrekking die door een gebeurtenis tot stand komt moet al gauw worden gedacht aan een proeverij of ander evenement dat in het teken van koffie staat. Bij schoonmaak ligt het weer meer voor de hand, als we denken aan het omvallen van een koffiepot bijvoorbeeld. Gebeurtenissen of situaties zijn weliswaar vaak calamiteiten, maar hoeven dat niet altijd te zijn. Denk aan het naar beneden gaan van de automatische zonwering omdat de zon schijnt op een sensor. In dat geval is het de zonneschijn die het proces initieert. Of voor het inrichten van een werkplek kan het de komst van een nieuwe medewerker zijn die het proces initieert.

Uitgaande van de genoemde vier manieren om het proces op gang te brengen moet vervolgens per dienst het optimale distributiekanaal worden opgezet. De facility manager heeft hierbij telkens rekening te houden met de afweging tussen coverage en control. Ofwel de mate waarom de klant wordt bereikt, ook wel distributiespreiding genoemd en de mate waarin invloed kan worden uitgeoefend op de individuele distributiepunten.

De distributiespreiding gaat over het niveau van de distributie of het aantal tussenschakels dat nodig is of wordt gehanteerd om het verzoek tot uitvoering te brengen, de intensiteit van de distributie of het aantal verschillende distributiepunten dat wordt gebruikt om de dienstverlening te kunnen initiëren en tot slot het type tussenpersoon of tussenschakel dat wordt gebruikt om het verzoek kenbaar te maken, aan te nemen en door te geven. Het controlevraagstuk gaat erover in hoeverre de facility manager een belang wil hebben in de verschillende tussenschakels.

- *Niveau* **van de distributie**
  Het niveauvraagstuk behandelt het aantal tussenschakels dat wordt gebruikt om vanaf het ontstaan van de behoefte aan dienstverlening uiteindelijk via de entree-, probleemanalyse- en de actieplanningsfase van het dienstverleningsproces te komen tot de uitvoering van de prestatie. Deze tussenschakels kunnen zowel uit personen als apparatuur bestaan. De afweging voor het inzetten van veel, weinig of geen tussenschakels heeft te maken met de noodzakelijkheid, wenselijkheid en mogelijkheid dat er rechtstreeks een beroep wordt gedaan op de uitvoering. Dit heeft te maken met:
  - De aard van de te leveren prestatie (generalistisch of specialistisch) en de hierbij benodigde kennis en ervaring om de intake en het verdere proces goed te kunnen laten verlopen. Specialistische diensten vereisen doorgaans dat de klant minimaal vanaf de probleemanalysefase direct contact heeft met de uitvoerende. Als dit niet gebeurt zal hiervan het gevolg zijn dat de klant z'n verhaal een paar keer moet vertellen aan verschillende medewerkers die hem weer doorverwijzen. Dit leidt uiteraard tot frustratie en ongenoegen bij de klant en staat een vlotte afhandeling alleen maar in de weg.
  - De mate waarin onderlinge afstemming met andere diensten vereist of benodigd is (integraliteit). Samengestelde diensten vereisen planning zodat de verzoeken hiertoe verzameld moeten worden in de actieplanningsfase.
  - De marktomvang en de contactfrequentie (het aantal verzoeken). Als er veel verzoeken tot dienstverlening direct worden gericht aan de uitvoerenden, werkt dit een overmatige druk op en vertraging in de uitvoering in de hand. Door een buffer te plaatsen tussen klant en uitvoering kan dit probleem worden opgelost.
  - De rol van de klant in het proces (dominant, gedomineerd of geen rol). Wanneer de klant in het dienstverleningsproces gedomineerd moet worden, stelt dit bepaalde eisen aan het contactpersoneel.
  - In welke hoedanigheid deze klant in het proces betrokken is (actief, passief). Hiervoor geldt hetzelfde als de bij de rol van de klant. Het contactpersoneel moet zodanig worden afgestemd op de klant dat er geen communicatiestoringen of andere belemmeringen kunnen optreden in het proces.

- De toegang tot bepaalde (informatie)systemen en andere benodigdheden om de activiteit goed te kunnen uitoefenen. Het omgaan met vertrouwelijke gegevens is niet voor iedereen weggelegd. Daarnaast mag van een klant niet worden verwacht dat hij in staat moet zijn om via zelfbediening de dienst af te nemen als hiervoor allerlei ingewikkelde systemen moeten worden gehanteerd.
- De kosten van de tussenschakels.

Bovenal is gezond nuchter verstand van belang om het niveau van de distributie te bepalen. Wanneer er geen tussenschakels worden gebruikt is er sprake van directe distributie en een kort kanaal. De klant doet in dit geval direct zaken met een facilitaire medewerker die het gehele dienstverleningsproces, vanaf entreefase tot en met de uitvoering en beëindiging van de dienst, behandelt of de klant voorziet in de eigen behoefte via zelfbediening. Worden er wel tussenschakels gebruikt dan is er sprake van indirecte distributie. Met één tussenschakel is het een indirect kort kanaal en met meerdere tussenschakels is er sprake van een indirect lang kanaal.

Een voorbeeld van directe distributie dat door de facilitaire dienstverlener wordt geïnitieerd is de dagelijkse ronde van het beveiligingspersoneel. Wanneer deze medewerker ergens een glasbreuk constateert en dit vervolgens doorgeeft aan de handy man die op zijn beurt weer een glaszettersbedrijf inschakelt, is er sprake van een indirect lang kanaal. In het geval van directe distributie waarbij de klant contact heeft met een uitvoerende medewerker is het van belang dat deze dienstverlener ook inderdaad de taal van de klant spreekt, dat deze medewerker bereikbaar is en dat het persoonlijke contact niet wordt verstoord door anderen. De situatie waarbij een medewerker van de technische dienst met een draagbare telefoon tijdens de ene klus rechtstreeks met de klant het contact onderhoudt over een volgende klus is natuurlijk verre van ideaal. De klant voor wie de medewerker op dat moment aan het werk is krijgt het gevoel dat de dienstverlener niet geconcentreerd bezig is met zijn klus en daardoor mogelijk fouten maakt. Daarbij werkt de verstoring ook weer vertraging van de uitvoering in de hand om over de klantvriendelijke reactie op en administratieve kant van het dienstenverzoek dat op dat moment binnenkomt nog maar te zwijgen. Als de klant daarentegen zelf de uitvoering in de hand heeft door middel van een apparaat, is het bedieningsgemak en de motivatie voor het gebruik weer van belang. De handelingen die de klant moet verrichten moeten voor hem ook volledig duidelijk en eenduidig zijn en de drempel om tot het gebruik over te gaan moet laag zijn. Dat wil zeggen het mag niet te veel tijd en moeite kosten om de apparatuur te bedienen (tenzij het gebruik of verbruik van de dienst moet worden ontmoedigd). Bij dienstverlening die via een contract tot stand wordt gebracht is meestal een externe leverancier betrokken. Denk hierbij aan de contractschoonmaak of het periodiek controleren van de technische installaties. Maar ook met of voor de eigen interne facilitaire organisatie kunnen dergelijke contracten worden opgesteld. Directe distributie naar aanleiding van een gebeurtenis moet vooral gezocht worden in apparatuur dat zich automatisch inschakelt. Een voorbeeld hiervan is de besprenkelingsinstallatie die wordt aangestuurd door rooksignaalmelders, automatische schuifdeuren en beveiligingsapparatuur die op beweging en warmte reageert. Wanneer onmiddellijke actie is vereist is directe distributie op initiatief van een gebeurtenis vaak het meest doeltreffend. In complexe vormen van dienstverlening is tussenkomst van diverse schakels vaak weer vereist.

- *Intensiteit* **van de distributie**
  De intensiteit betreft het aantal distributiepunten of mogelijkheden om het dienstverleningsproces op gang te brengen en het aantal mensen of apparaten dat betrokken is in de uitvoering. Hierbij bestaan er drie opties: *intensieve, exclusieve* en *selectieve* distributie. Bij een intensieve distributie wordt de klant veel mogelijkheden geboden om zijn verzoeken kenbaar te maken of de diensten rechtstreeks af te nemen, wat er op neerkomt dat iedere facilitaire discipline afzonderlijk kan worden benaderd en dat er veel zelfbedieningsapparatuur aanwezig is. Intensieve distributie dat via een contract tot stand komt betekent bijvoorbeeld dat er ieder half uur een koffieronde wordt gelopen. Exclusieve distributie houdt in dat er slechts één of enkele 'recepties' voor de klant beschikbaar zijn om de verzoeken door te geven of bijvoorbeeld dat er slechts drie koffierondes per dag worden gelopen. Selectieve distributie is een tussenweg, waarbij per afzonderlijke dienst wordt bepaald in welke mate het verkrijgbaar moet zijn en hoe vaak het moet worden geleverd. Dat betekent bijvoorbeeld op iedere verdieping meerdere pantry's en geen enkele beveiligingsmaatregelen ten aanzien van de toegang tot het gebouw.

De intensiteit zal per afzonderlijke dienst moeten worden afgewogen, waarbij een aantal factoren van invloed zijn op de keuze die wordt gemaakt:
- Het soort dienst.
- De betrokkenheid van de klant bij de specifieke dienst.
- De complexiteit van het dienstverleningsproces.
- De wenselijkheid of doelstelling ten aanzien van het verbruik of gebruik van de betreffende dienst (aanmoediging of ontmoediging c.q. consumeren of consuminderen).

Een intensieve distributie van materiegebonden diensten is veelal eenvoudiger te realiseren dan van interactiegebonden diensten. Materiegebonden diensten zijn vaak minder bewerkelijk van aard en kunnen in meerdere gevallen via zelfbedieningsapparatuur worden geleverd. De betrokkenheid van de klant bij de te leveren prestatie geeft aan hoeveel moeite de klant bereid is om erin te stoppen om het geleverd te krijgen of het af te nemen. In het geval van het bedrijfsrestaurant is de klant best bereid om een eindje om te lopen, want hij wil immers toch lunchen. Maar als het gaat om de verzameling van plastic bekertjes is de klant al minder geneigd om een aantal etages om te lopen. Wil de facility manager een bepaalde dienst promoten of aanmoedigen zal vooral de verkrijgbaarheid en toegankelijkheid aandacht moeten krijgen. Hoe gemakkelijker en sneller de klant zijn verzoek kenbaar kan maken hoe eerder hij dat ook zal doen. Dit geldt zowel voor het formele als het informele leveringscircuit. Als een technische dienst telkens niet bereikbaar is voor het doorgeven van een storing, zal of de storing niet worden verholpen of de klant zoekt een alternatieve weg om de klus gedaan te krijgen. Hetzelfde geldt ook ten aanzien van het ontmoedigen van bepaalde diensten. Ontmoedigingsbeleid ten aanzien copiëren kan tot uiting komen in het afschaffen van decentrale copieerapparatuur of het invoeren van een copy card dat het aantal gemaakte copieën bijhoudt, zodat dit kan worden doorberekend. Voor het laten maken van specifiek drukwerk bij de huisdrukkerij geldt weer dat de betrokkenheid bij een aanvraag dermate groot is (eigen belang) en de intake en het verdere proces dermate complex is dat de klant best bereid is om even te moeten wachten. De distributie-intensiteit van een bepaalde dienst kan ook worden ingegeven door het primaire proces. De beveiliging bij een nucleair onderzoekslaboratorium zal wat strikter en intensiever moeten worden nageleefd dan bij een openbare school bijvoorbeeld.

- **Type tussenschakel**
  Wanneer er sprake is van indirecte distributie zal het type tussenschakel dat wordt ingezet er voor moeten zorg dragen dat het dienstverleningsproces op een effectieve en efficiënte wijze tot stand kan komen en het verzoek op het juiste tijdstip in de juiste hoedanigheid bij de juiste uitvoerende eenheid terecht komt. In het geval van zelfbediening zal het voor de klant voldoende eenduidigheid en gebruikersvriendelijkheid moeten bieden om de uitvoering tot stand te brengen. De mate waarin de dienstverlener invloed wil kunnen uitoefenen op het gedrag van de klant is ook van invloed op het type tussenschakel. Deze gedragsbeïnvloeding komt tot uiting in de beheersing van de consumptie (kosten) en de verwachting van de klant. De keuze ten aanzien van de tussenschakels gaat over de inzet van mensen of middelen. Bij de inzet van mensen is er de keuze tussen enerzijds eigen personeel en anderzijds personeel van derden (externe dienstverleners). Bij middelen gaat de keuze tussen het gebruik van allerlei communicatiemiddelen zoals formulieren, de telefoon, fax, computer, electronic mail en apparatuur in z'n algemeenheid. Ieder type tussenschakel heeft z'n eigen karakteristieken als het gaat om snelheid, gemak, kosten, doelmatigheid, maar ook corruptheid, gevoeligheid en nauwkeurigheid. De afwegingen die zijn gemaakt bij het niveau- en intensiteitsvraagstuk gaan hier ook weer op om te komen tot de juiste keuze. Het zal derhalve duidelijk zijn dat koffierondes niet passen in een concept van zelfbediening.

- **Belang in de distributiekanalen**
  Daar waar de distributiespreiding te maken heeft met de mate waarin het facilitaire aanbod toegankelijk en verkrijgbaar is voor de individuele pandbewoner, handelt het bij de controle of het belangenvraagstuk om de mate waarin de facility manager in staat is om de individuele distributiepunten te managen. In zijn algemeenheid geldt dat hoe groter de distributiespreiding is hoe meer moeite het zal kosten om iedere afzonderlijke 'service outlet' te controleren. In die zin zijn distributiespreiding en -controle elkaars tegenpolen. Daarnaast speelt ook het 'eigendom' van de dienst een grote rol, ofwel wordt de betreffende dienst door het eigen personeel of door een externe partij geleverd. De grootste mate van controle lijkt de facility manager te hebben op de diensten die via apparatuur tot stand komen. Deze apparatuur wordt immers aangezet of uitgezet en de prestatie is datgene wat

er van te voren in is geprogrammeerd. Echter, de verwachting van de klant kan weer niet worden bijgesteld in het geval van zelfbediening. En dat is soms belangrijker dan controle over de consumptie. In het algemeen zal de controle op de verschillende distributiepunten waar personen zitten middels afspraken, regels, procedures en het gebruik van bepaalde systemen uitgeoefend moeten worden. Dit geldt zowel voor eigen personeel als voor personeel van externe dienstverleners. Het aanstellen van zogenaamde account managers, die het reilen en zeilen van bepaalde facilitaire disciplines en de interactie met de verschillende klanten kunnen regelen, motiveren en bijsturen is een mogelijkheid. Een andere mogelijkheid is het overgaan op one stop shopping, waarbij er een duidelijke scheiding wordt aangebracht tussen front office en back office-activiteiten.

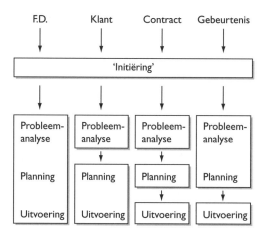

Figuur 6.2. De distributiekanalen.

Als de distributiekanalen niet goed, eenduidig en weloverwogen worden op- gezet ontstaan er legio problemen voor zowel de klant als voor de facilitaire organisatie, waarvan vele kunnen worden voorkomen. Deze problemen zijn bijvoorbeeld:
- De onzekerheid bij de klant stimuleert het informele leveringscircuit, ofwel de klant gaat zakendoen met degene die hij vertrouwt.
- Niet goed kunnen managen van de (verwachting van de) klant, waardoor er grote fluctuaties ontstaan in de kwaliteit van de dienstverlening.
- Er is geen inzicht in verloren capaciteit.
- De klant kan moeilijk zijn weg vinden binnen de facilitaire organisatie.
- Niet gestructureerde aanvragen leiden tot dubbelwerk of 'vergeten' werk.
- Het dienstenpakket kan niet goed en eenduidig worden aangeboden aan de klant.

Bij het komen tot een effectief ontwerp van de distributiekanalen moeten enorm veel afwegingen worden gemaakt zoals we al zagen. Daarnaast moet de facility manager de distributiebeslissingen per afzonderlijke dienst nemen. Bij het ontwerpen van de kanalen voor facilitaire diensten zal de nadruk steeds meer komen te liggen op control en minder op coverage, wil

men komen tot een verantwoord niveau van dienstverlening. Kwaliteits-
aspecten spelen juist bij dienstverlening vaak een belangrijkere rol dan
kwantiteitsaspecten. Vergelijk hiervoor de onderstaande drie situaties van
een kanaalontwerp voor het initiëren van het diensteverleningsproces, welke
alle drie overigens door elkaar kunnen worden gebruikt.

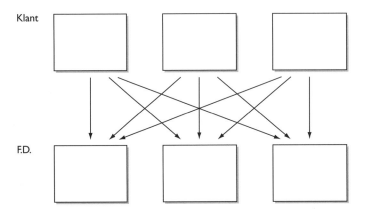

Figuur 6.3. Conventioneel distributiekanaal.

De klant heeft rechtstreeks contact met de betreffende dienstenleveranciers en de diensten worden decentraal geïnitieerd. In goed
geoliede facilitaire organisaties, waar de processen inzichtelijk en eenduidig zijn en de front office en back office perfect op elkaar aansluiten
kan dit ontwerp voldoende effectief zijn. Het contactpersoneel van de
diverse facilitaire instanties zal voldoende klantgericht moeten zijn en de
klant zal in elk geval moeten weten waar met zijn verzoek naar toe te
moeten. De directe en decentrale aansturing van de uitvoerende eenheden
heeft tot gevolg dat de klant zelf heel veel moet regelen. De onderlinge
afstemming en integraliteit van de uitvoering wordt hierdoor bemoeilijkt
omdat de verschillende uitvoerende eenheden afhankelijk zijn van het
inzicht en de meldingsvolgorde van de klant. Zonder een goed back office-
systeem is in veel gevallen chaos het gevolg van de versnipperde en
ongestructureerde 'aanvoer' van verzoeken tot dienstverlening en de
onzekerheid en ondoorzichtelijkheid van de totale facilitaire dienstverlening stimuleert het informele circuit in dit geval ook nog eens. De
klant gaat op een gegeven moment zakendoen met de facilitaire
medewerker(s) die hij kent en vertrouwt of waar hij vaker mee te maken
heeft gehad.

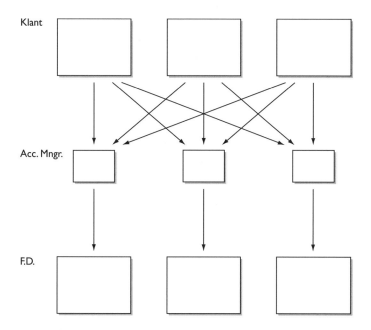

Figuur 6.4. Account Management Facilitaire Organisatie.

of

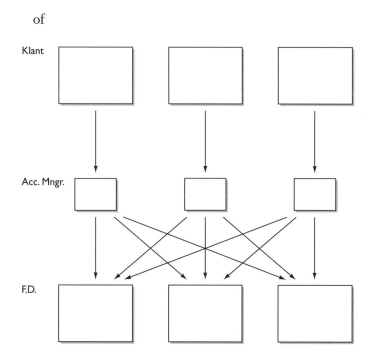

Figuur 6.5. Account Management Klant(engroep).

In het account management-model komen alle verzoeken tot dienstverlening eerst binnen bij een account manager. Deze account manager is een soort van zaakwaarnemer die of ten dienste staat van de facilitaire organisatie (Figuur 6.4.) of die ten dienste staat van de klant (Figuur 6.5.). Bij account management ten dienste van de facilitaire organisatie is er sprake van een facilitaire eenheidsvertegenwoordiger (FEV) per facilitaire eenheid of een cluster van facilitaire eenheden. Dit is een vast contactpersoon waar alle klanten met hun verzoeken tot dienstverlening terecht kunnen. Bij account management ten dienste van de klant(engroep) is er sprake van een klant(engroep)vertegenwoordiger (KGV) en heeft ieder cluster van pandbewoners een vast aanspreekpunt waar ze hun verzoeken tot dienstverlening aan kwijt kunnen. De account manager of vertegenwoordiger zorgt in beide gevallen ervoor dat de verzoeken gestructureerd bij de diverse uitvoerende eenheden terecht komen. De klant heeft dus slechts één (KGV) of enkele contactpersonen (FEV) die voor de totale facilitaire dienstverlening aansprakelijk zijn. Bij het account management-model zijn wel altijd meerdere account managers betrokken. Deze opzet van de kanalen is vooral waardevol in situaties waarbij het gaat om complexe verzoeken en er eerst onderhandeld of onderling afgestemd moet worden. De afweging de account manager exclusief voor een facilitaire eenheid of exclusief voor een klantengroep te laten werken heeft te maken met onder andere de complexiteit en belang van de dienst c.q. klantengroep en het budget dat met de dienst gemoeid is of dat de klantengroep te besteden heeft. Een Facilitaire EenheidVertegenwoordiger zal altijd door de facility manager worden aangesteld. Bij de KlantenGroepVertegenwoordiger zou het best eens zo kunnen zijn dat deze door een cluster van pandbewoners wordt aangewezen. Deze KGV krijgt dan in feite de rol van een secretariaat op zich om alle facilitaire dienstverlening voor zijn of haar klantengroep te regelen.

De voordelen van account management zijn dezelfde als die gelden bij het hanteren van het one stop shopping-principe, dat hierna wordt behandeld. Specifiek voor het FEV-model geldt dat de beheersbaarheid en het gemak voor de facilitaire eenheden toeneemt en bij het KGV-model liggen de voordelen duidelijk bij de klantengroepen die de verzoeken gemakkelijker en vereenvoudigd kunnen aanleveren. De nadelen van account management komen vooral aan het licht bij ziekte, verlof en uitval van de specifieke medewerker. Om dit model effectief te kunnen toepassen zou de vertegenwoordiger altijd een vervanger moeten hebben in voorkomende gevallen.

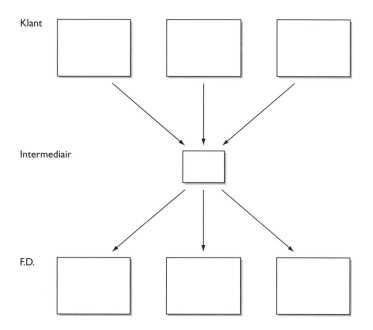

Figuur 6.6. Het one stop shopping-model.

Bij het one stop shopping-model hebben alle pandbewoners één en hetzelfde aanspreekpunt richting de facilitaire organisatie: het facilitair meldpunt of de servicedesk. Alle verzoeken tot dienstverlening komen binnen bij het meldpunt dat vervolgens zorg draagt voor de gestructureerde behandeling en delegering van de afzonderlijke verzoeken. Dit model is niet bruikbaar of effectief in de gevallen waarbij het gaat om complexe aanvragen of diensten, anders dan alleen in de rol van receptie. Daarnaast is one stop shopping niet efficiënt bij zeer 'lichte' en eenvoudige verzoeken die gemakkelijk via zelfbediening kunnen worden afgehandeld. Omdat one stop shopping een enorme toevlucht neemt en in veel gevallen een prima uitkomst biedt, wordt hier uitvoeriger op ingegaan in de volgende paragraaf.

6.4.2. One stop shopping

In de detailhandel is het one stop shopping-principe uitgevonden en bekend geworden. Dit houdt in dat de consument alle levensmiddelen en andere boodschappen onder één dak aantreft en niet meer langs allerlei specialistische winkels hoeft. Eén keer stoppen, de boodschappenkar volladen, betalen en weggaan. Factoren die dit in de hand werken zijn tijd(gebrek), gemak, betrokkenheid en bredere aandacht van de consument. De specialist heeft niet meer per se de beste kwaliteit producten en het kost te veel tijd en inspanning om alles gedaan te krijgen bij allemaal afzonderlijke winkels. Daarom kiest de consument voor het gemak van de supermarkt. Daarnaast heeft de consument nog wel wat anders aan z'n hoofd dan alleen maar die boodschappen en dus verkiest hij de meest effectieve en efficiënte manier om dat 'probleem' op te lossen. Met facilitaire dienstverlening is het eigenlijk niet anders als vanuit de pandbewoner wordt geredeneerd. Echter, ook voor de facilitaire organisatie zitten er heel duidelijk positieve kanten aan.

In eerste instantie is de pandbewoner niet erg betrokken bij de meeste vormen van facilitaire dienstverlening. Als er eerst een briefje in drievoud moet worden ingediend om melding te kunnen maken van een defecte lamp op het toilet bedenkt de pandbewoner zich eerst liever nog drie keer. Hetzelfde geldt als het telefonisch doorgeven van een storing tien minuten duurt. We zagen al eerder dat naarmate de betrokkenheid bij de specifieke dienst toeneemt, de klant bereid is een groter offer te brengen om de prestatie tot stand te brengen. Op het moment dat de klant geen direct voordeel heeft bij de dienst en het gevoel heeft dat een verzoek niet goed wordt afgehandeld of te veel moeite kost om in te dienen, gaat hij zelf dingen regelen om de uitvoering tot stand te brengen of ziet helemaal af van de specifieke dienst. We krijgen dan de situatie dat facilitaire medewerkers uit het gangpad worden geplukt om nog even snel een klusje tussendoor te doen, of het white board staat gewoon een jaar lang op de grond en niemand die zich er meer aan stoort. Dit zogenaamde informele circuit kenmerkt zich door dienstverlening bij uitzondering. Dat wil zeggen dat degene die de beste relatie heeft opgebouwd met de facilitaire medewerkers het eerst aan de beurt is. Een ander probleem voor de klant is vaak ook dat hij moeilijk zijn weg kan vinden binnen de facilitaire organisatie. Dit leidt tot veel onnodige communicatie en wrijving omdat de klant gewoon ergens begint aan te kloppen. Op zijn zoektocht komt de klant dan met diverse pand-bewoners/collega's en facilitaire medewerkers in aanraking. Bepaalde mede-werkers worden op die wijze gestoord in hun activiteiten, uitvoerende medewerkers komen in aanraking met een klant en 'spreken niet de juiste taal' waardoor beide gefrustreerd raken of een medewerker gaat dingen toezeggen waar hij invloed noch zicht op heeft.

Voor facilitaire dienstverlening geldt daarnaast dat heel veel diensten met elkaar verband houden of in elkaars verlengde liggen. Denk aan het regelen van een vergaderruimte met alle benodigdheden erbij. Er moet een zaal worden gereserveerd, audiovisuele ondersteuning moet geregeld worden, de catering moet op de dag zelf zijn verzorgd en uiteindelijk moet er nog weer schoongemaakt worden. Er zijn voor je het weet zo drie of vier verschillende afdelingen bij betrokken. Niet minder geldt dit voor het verhelpen van allerlei storingen, het uitvoeren van reparaties of het huisvesten van een persoon in z'n algemeenheid. Wanneer de diensten dan niet op elkaar worden afgestemd leidt dit tot dubbel werk of het verzoek wordt helemaal niet uitgevoerd. Om er zeker van te zijn dat een dergelijk verzoek volledig en tijdig wordt uitgevoerd kan de facilitaire organisatie enerzijds zorg dragen voor een perfecte back office. Dat wil zeggen dat waar of wanneer de verzoe-ken ook binnen mochten komen, er altijd een onderlinge afstemming plaats-vindt tussen de verschillende disciplines die vervolgens zorg dragen voor de integrale uitvoering van de diensten. De klant zal in dit geval wel zelf alles in het werk moeten stellen, en dus in contact moeten treden met al die verschil-lende disciplines waarvan hij denkt dat ze erbij betrokken zijn. Niet erg klantgericht of klantvriendelijk. Een alternatief is het zorg dragen voor een front office-orgaan waar alle verzoeken tot dienstverlening centraal binnenkomen en vanwaar uit de afzonderlijke aansturing van de verschillende disciplines plaatsvindt. One stop shopping betekent dan dat er een front office-orgaan wordt ingesteld die een trechterfunctie heeft om de gehele communicatie tussen klant en facilitaire organisatie te kanaliseren en op een gestructureerde wijze de dienstverlening tot stand brengt. De klant dient zijn verzoek of verzoeken eenmalig in bij één persoon die vervolgens zorg draagt voor de uiteindelijke uitvoering van de diensten. In de optimale situatie heeft de klant dan tot aan de uitvoering geen contact verder met andere medewerkers over zijn verzoek. Het fysieke orgaan dat deze trechterfunctie vervult gaat door het leven met een groot aantal namen: helpdesk, servicedesk, centraal dienstverleningsmeldpunt, facilitair meldpunt, bewonersservice, facilitair servicepunt et cetera.

One stop shopping is echter niet in alle gevallen mogelijk of nodig. In eerste instantie geldt dat daar waar de klant eerst in de entree- en probleemanalysefase contact heeft met verschillende facilitaire medewerkers het contactpersoneel vervangen kan worden door medewerkers van het dienstverleningsmeldpunt. Maar ook hiervoor geldt weer dat de benodigde kennis en ervaring om het proces te initiëren, het soort dienst en de doelstelling van de facilitaire organisatie in overweging moet worden genomen. De medewerkers van een servicedesk zijn generalisten met een klantgerichte instelling, waarvan echter niet mag worden verwacht dat ze van iedere dienst het fijne weten. Ook wil de klant weer niet voor ieder wissewasje aankloppen bij de servicedesk. Er mag vooral niet vergeten worden waarom het one stop shopping-concept wordt gehanteerd, namelijk vanwege de klant. De klant heeft behoefte aan het gemakkelijk, snel en overzichtelijk 'zaken doen' met de facilitaire organisatie. Als de klant liever weer bij allerlei verschillende winkels wil shoppen, moet deze mogelijk geboden worden. De onderlinge afstemming, coördinatie, consumptie- en verwachtingsbeheersing is namelijk niet het probleem van de klant, maar van de facilitaire organisatie.

Als one stop shopping wordt ingevoerd zal aan een aantal randvoorwaarden moeten worden voldaan:
- Commitment van de gehele facilitaire organisatie en onderlinge samenwerking.
- Absolute bereikbaarheid en voldoende deskundigheid van het meldpunt.
- Heldere spelregels en communicatielijnen rondom de aanvragen.
- Goede communicatie c.q. promotie van de functie, de diensten en de bevoegdheden van het meldpunt.
- Professionele inrichting en uitstraling van het meldpunt.

Deze randvoorwaarden kunnen worden gezien als de kritische succesfactoren van dit front office-orgaan die vanaf het begin voor ogen moeten worden gehouden. Wordt hieraan niet voldaan dan is de kans groot dat het gehele project uiteindelijk zal mislukken. Als het meldpunt niet van meet af aan wordt geadopteerd en geaccepteerd door zowel alle pandbewoners als de medewerkers van de facilitaire organisatie, zal in een later stadium een tweede kans op een succesvolle implementatie een bijna onmogelijke opgave blijken. In de aanvangsfase van het instellen van een meldpunt spelen allerlei krachten mee die het veranderingsproces negatief beïnvloeden. Veranderingen roepen namelijk onherroepelijk weerstanden op bij zowel de pandbewoners als de facilitaire medewerkers zelf. Onderkenning van deze weerstanden op voorhand betekent dat men niet achteraf voor verrassingen hoeft komen te staan. De oorsprong van deze weerstanden kunnen worden gevonden in:

- Angst voor het onbekend.
- Angst voor verlies van macht.
- Angst om afhankelijk te worden van anderen.
- Niet willen loslaten van oude rituelen en waarden en normen.

Bij de introductie van het meldpunt zal de communicatie ervan daarom een belangrijke rol gaan spelen. Er zal een bepaalde veranderingsbehoefte moeten gaan ontstaan bij alle betrokkenen. Het traject om te komen tot een meldpunt kent een drietal aandachtsgebieden of subtrajecten:

- Over de werkwijze van het dienstverleningsmeldpunt.
- Over de inrichting van het dienstverleningsmeldpunt.
- Over de communicatie van het dienstverleningsmeldpunt.

- **Over de werkwijze van het dienstverleningsmeldpunt**
  De werkwijze van het dienstverleningsmeldpunt behandelt de doelstellingen en te bereiken resultaten, alsmede de samenstelling van het takenpakket van het meldpunt. De achtergrond van de invoering van het meldpunt en de doelstellingen die ten aanzien van het meldpunt worden geformuleerd kunnen te maken met ondervonden knelpunten in de huidige situatie of meer algemeen van aard zijn en ter stroomlijning, verbetering of professionalisering van de dienstverlening dienen. Doelstellingen kunnen bijvoorbeeld zijn:
  - Optimale afstemming van vraag en aanbod.
  - Verbeteren van de (h)erkenbaarheid van de facilitaire organisatie.
  - Klantgerichte dienstverlening bewerkstelligen door een goede bereikbaarheid en het bieden van oplossend vermogen ten aanzien van verzoeken.
  - Meer doelmatigheid bereiken door structurering van de facilitaire dienstverlening.
  - Inzicht in trends en patronen verkrijgen ter optimalisering van de dienstverlening.
  - Inzicht in kosten verkrijgen;
  - Et cetera.

Het resultaat van het meldpunt is doorgaans eenduidigheid voor de klant, een nauwkeurige en eenduidige vastlegging en een meer systematische behandeling van verzoeken tot dienstverlening waardoor een betere voortgangsbewaking en controle mogelijk is, het ontstaan van een beter inzicht in de workload, de kosten en bestede tijd en een efficiëntere inzet van personeel omdat de uitvoering van dienstenaanvragen mogelijk kunnen worden gecombineerd.

Bij het samenstellen van takenpakket moet gedacht worden aan een functieen taakverdeling tussen enerzijds het meldpunt en anderzijds de overige facilitaire eenheden waar de klant terecht kan of kon met zijn verzoeken tot dienstverlening. Daarnaast zullen de verantwoordelijkheden en bevoegdheden van de medewerkers van het meldpunt nauwkeurig aangegeven moeten worden. Het meldpunt is in eerste instantie een trechter die de verzoeken kanaliseert. In een aantal gevallen kunnen medewerkers van het meldpunt echter zelf ook de uitvoering van de prestatie op zich nemen. De afstemming tussen de front office en de back office is daarom zo belangrijk. Dit hele subtraject vraagt veel aandacht omdat hier de contouren van het meldpunt zichtbaar worden gemaakt. De afweging welke producten en diensten bij het meldpunt worden ondergebracht lijkt eenvoudig op het eerste gezicht. Maar aan deze afweging dient een gedegen analyse van het huidige dienstenpakket en het dienstverleningsproces van de facilitaire organisatie vooraf te gaan, om de precieze grenzen van het meldpunt aan te kunnen geven. Dit in kaart brengen van het dienstverleningsproces kan heel goed met behulp van de eerder behandelde dienstverleningsmatrix. Omdat het meldpunt een front office-orgaan is zullen alle front stage elementen van het dienstverleningsproces beoordeeld moeten worden op de mogelijkheid voor vervanging van het huidige contactpersoneel door medewerkers van het dienstverleningsmeldpunt. De afwegingscriteria hierbij zijn hetzelfde als die bij de distributiespreiding al zijn genoemd.

- **Over de inrichting van het dienstverleningsmeldpunt**
  De inrichting van het meldpunt behandelt de daadwerkelijke en fysieke invoering van het meldpunt binnen de organisatie. Hierbij moet een vijftal zaken worden ingevuld:

  - *De personele bezetting.* Het dienstverleningsmeldpunt behoeft een permanente en representatieve bezetting gedurende de openingstijden. Het aantal medewerkers of functieplaatsen dat hiervoor vrij wordt gemaakt is afhankelijk van de omvang van het takenpakket, het aantal verzoeken dat naar verwachting zal binnenkomen en de omvang van de facilitaire organisatie. Toch zullen het er in alle gevallen minimaal twee zijn, om uitval van het meldpunt door ziekte, verlof of anderszins te minimaliseren. Ook worden er bepaalde eisen gesteld aan het personeel dat het meldpunt gaat bezetten. Deze medewerkers zullen een klantgerichte instelling moeten hebben, ofwel beschikken over voldoende ontwikkelde sociale en communicatieve vaardigheden alsmede een dienstbare instelling. Daarnaast zullen ze voldoende technische kennis en vaardigheden moeten hebben om bijvoorbeeld storingen die worden gemeld in te kunnen schatten en voldoende kennis van en inzicht in het bedrijf of instelling en een bepaalde 'overall view' op de facilitaire processen moeten hebben om in de meeste gevallen adequaat te kunnen reageren op verzoeken. Bovenal is het meldpunt een belangrijke schakel in een groter geheel, wat eisen stelt aan het kunnen werken in teamverband. Als de verwachting is dat het aantal verzoeken dat bij het meldpunt binnenkomt gering zal zijn, kan worden afgewogen om de medewerkers van het meldpunt bepaalde bijtaken te geven. Hierbij dient wel in ogenschouw te worden genomen dat het bezetten van het meldpunt en dus onmiddellijk reageren op verzoeken die binnenkomen de hoofdtaak is. De eventuele bijtaken mogen dus nooit verstorend werken op de bereikbaarheid en dienstbaarheid van het meldpunt.

- *De locatie.* Als het dienstverleningsmeldpunt tevens een loketfunctie uitoefent voor af- en uitgifte van bepaalde facilitaire producten, zal het gehuisvest moeten zijn op een voor iedereen goed bereikbare en centrale plek in het pand. De representatieve functie van het meldpunt brengt met zich mee dat deze locatie er verzorgt uit moet zien.

- *De openingstijden.* Het meldpunt staat of valt bij een goede bereikbaarheid. Tijdens kantooruren zullen pandbewoners er altijd gehoor moeten vinden. Wanneer er sprake is van flexibele werktijden, waardoor kantooruren zich afspelen tussen bijvoorbeeld 7.00 uur 's ochtends en 9.00 uur 's avonds kan het qua personele bezetting moeilijk zijn om een optimale bereikbaarheid gedurende deze 14 uur te garanderen. Dan zal er een keuze gemaakt moeten worden tussen daadwerkelijke openstelling en anderszins bereikbaarheid van het meldpunt. Tijdens de openstelling vindt de klant dan daadwerkelijk gehoor bij een medewerker van het meldpunt. Daarbuiten is het meldpunt wel bereikbaar, maar wordt op indirecte wijze gehoor gegeven aan het verzoek, bijvoorbeeld via een pieper, een antwoordapparaat of electronische post. Als buiten de openstelling kan worden uitgeweken naar bijvoorbeeld bewakingspersoneel om in geval van calamiteiten op te treden is dat uiteraard altijd een betere keuze dan het befaamde antwoordapparaat aan te zetten.

- *De hulpmiddelen voor de taakuitvoering.* De bij de taakuitoefening gebruikte inventaris en communicatiemiddelen van het meldpunt moeten voldoende effectiviteit en kwaliteit bieden opdat een optimale bereikbaarheid, eenduidige registratie en vlotte afhandeling van de verzoeken tot dienstverlening gewaarborgd is en tevens representativiteit uitstralen. Naast meubilair, telefoon, fax, computerapparatuur (inclusief E-mail) kan hierbij worden gedacht aan een planbord, een kalender, naslagwerken zoals telefoongidsen, plattegronden en standaard formulieren die door de pandbewoners (moeten) worden gebruikt. Ook verdient de registratie van de verzoeken tot dienstverlening aandacht. Meldingen kunnen handmatig worden geregistreerd op bijvoorbeeld storingsbonnen en aanvraagformulieren, echter voor een moderne en toekomstgerichte registratie moet worden gedacht aan computertoepassingen. Allerlei database-achtige of specifiek ontworpen software biedt vaak uitstekende mogelijkheden om meldingen mee vast te leggen en te bewerken. Dit biedt vooral voordeel bij het rapporteren en het eenduidig aansturen van de back office.

- *De rapportagesystematiek.* Omdat het meldpunt de trechter vormt voor heel veel verzoeken tot dienstverlening kan er ook heel veel sturingsinformatie boven water worden gehaald bij het meldpunt. Wanneer voor een goede en eenduidige registratie van de meldingen is gekozen biedt dit mogelijkheden voor het verkrijgen van allerlei rapportages zoals signaallijsten bij het overschrijden van deadlines, statistische informatie met betrekking tot het aantal meldingen, type meldingen en 'ziektebeelden' van bepaalde objecten en gebouwdelen, het consumptiegedrag van klanten en klantgroepen in termen van (kantoor)artikelen en services, de bestede tijd en zowel personele als materiële kosten ten aanzien van de afhandeling van verzoeken tot dienstverlening et cetera. Onder rapportagesystematiek wordt ook verstaan hoe vaak de facility manager van bepaalde zaken op de hoogte wenst te worden gebracht. Signaallijsten die slechts één keer per week worden geproduceerd bieden vaak geen houvast meer om te sturen.

- **Over de communicatie van het dienstverleningsmeldpunt**
  Als een rode draad door het gehele implementatietraject van het meldpunt draagt een communicatiecampagne zorg voor een succesvolle aankondiging, acceptatie van de invoering en promotie van het meldpunt. Het huiswerk dat hiervoor gedaan moet worden behelst het scheppen van een veranderingsbehoefte bij zowel pandbewoners als facilitaire medewerkers. Deze twee groepen vormen dan ook de doelgroep van de communicatie. Voor het teweegbrengen van deze veranderingsbehoefte is het schetsen van het toekomstperspectief, het waarom van het meldpunt heel belangrijk. Door aan te geven waarom er iets gaat veranderen, hoe de facilitaire organisatie hiertoe is gekomen en argumenten op tafel te brengen voor de gekozen oplossing kan een hoop begrip worden gekweekt bij de pandbewoners. Mensen zullen pas veranderen of iets accepteren als ze er voordeel bij hebben. Dit persoonlijke voordeel dat het meldpunt hun als individu brengt zal dus ook duidelijk aangegeven moeten worden. Daarnaast moet de onzekerheid of angst voor het onbekende worden weggenomen en helpt het als de klant het gevoel heeft dat hij invloed kan uitoefenen tijdens het project door middel van een ideeënbus bijvoorbeeld. Het ontwerpen van een bepaalde slogan levert tijdens het veranderingsproces doorgaans ook een hele goede bijdrage aan het slagen ervan. Zo'n slogan is namelijk herkenbaar, werkt motiverend, stimuleert de eensgezindheid en kan als kapstok gedurende het gehele veranderingsproces worden gebruikt. Naar de facilitaire medewerkers toe zal vooral gehamerd moeten worden op de discipline ten aanzien van het in stand houden van het meldpunt. Sommige medewerkers kunnen het meldpunt zien als een bedreiging of als degradatie van hun eigen functie, omdat ze niet meer initieel met de klant in contact staan. Communicatie waarbij de eenheid van de gehele facilitaire organisatie wordt benadrukt is dan van belang. Als de klant in voorkomende gevallen het informele circuit weer opzoekt, zal de facilitaire medewerker in zulke gevallen de klant moeten bijsturen en het niet willen zien als een compliment voor eigen kunnen. Het dienstverleningsmeldpunt moet als het ware binnen de cultuur van de facilitaire organisatie samensmelten. Het moet als buffer, eerste aanspreekpunt en bekwame voorhoede speler gezien worden door de facilitaire medewerkers.

De communicatie rondom de invoering van het dienstverleningsmeldpunt zal zich behoren te richten op de aankondiging, de acceptatie en de promotie van het meldpunt. Dit zijn drie verschillende doelen die met de communicatie worden beoogd en vereisen dus ook alle drie een andere aanpak of uiting. Een belangrijk onderdeel hierbinnen is de producten- en dienstencatalogus, ofwel de menukaart waarop de klanten kunnen zien wat het meldpunt allemaal te bieden heeft. Dit schept duidelijkheid en kan tevens gezien worden als een stuk promotie van het meldpunt. Hoe een communicatieplan kan worden uitgewerkt en welke communicatie-instrumenten hierbij allemaal kunnen worden aangewend komt uitgebreid aan de orde bij het hoofdstuk over promotiebeleid.

One stop shopping wordt ingevoerd omdat de klant daarom vraagt. Het mag niet een concept zijn dat wordt ingevoerd omdat de facility manager het zicht kwijt is geraakt op de aard en omvang van de dienstverlening, of omdat de facilitaire organisatie niet in staat is om haar diensten onderling op elkaar af te stemmen, of omdat een bepaalde afdeling telkens niet bereikbaar is. Het concept wordt toegepast vanuit de klant geredeneerd. Als de klant behoefte heeft aan één vast aanspreekpunt binnen de facilitaire organisatie voor alle of de meeste van z'n verzoeken tot dienstverlening, dan wordt one stop shopping ingevoerd. Als de klant er niet achter staat, zal deze het concept namelijk gaan saboteren door het informele circuit in stand te houden en de facilitaire medewerkers continu op de proef te stellen. Wanneer echter de servicedesk eenmaal goed is ingevoerd is de positieve spin off voor de facilitaire organisatie groot. Middels one stop shopping komt namelijk een aantal zaken binnen handbereik:
• Herkenbare en aanspreekbare facilitaire organisatie.
• Het facilitaire assortiment kan geïntegreerd worden aangeboden aan de individuele klant.
• De verwachting van de klant kan worden gemanaged.
• Er kan op een gestructureerde wijze worden omgesprongen met de verzoeken tot dienstverlening en de afzonderlijke processen kunnen integraal op elkaar worden afgestemd op de uitvoerende instanties.
• Er ontstaat zicht op de aard en omvang van de werkzaamheden.

Het is vaak een lange en moeizame weg (waarin veel beren kunnen worden tegengekomen), maar het loont in veel gevallen absoluut de moeite. Omdat one stop shopping voortkomt uit een behoefte van de klant, levert dit naast voordelen voor de facilitaire organisatie bovenal een tevreden terugkomende (betalende) klant op. In detailhandelstermen betekent one stop shopping: "bied ik brood, vlees, zuivel en groente aan, of bied ik levensmiddelen aan?" of "ben ik bakker, slager, melkboer en groenteman of ben ik een supermarkt?". In facilitaire termen luidt deze afweging: "ben ik een klusjesman, een copy service, een schoonmaakbedrijf en een bedrijfsrestaurant of ben ik een facilitaire eenheid met alle professies onder één dak?". Het is de keuze tussen het wel of niet integraal aanbieden van al die producten en diensten die de klant wenst af te nemen.

6.4.3. De dienstenlogistiek

De distributielogistiek geeft aan hoe en door wie of wat de prestatie wordt geleverd. Voor de logistieke keuze bestaat er een drietal alternatieven:
• De facilitaire dienstverlener gaat naar de klant toe.

- De klant gaat naar de facilitaire dienstverlener toe.
- De prestatie wordt geleverd via een fysiek medium, zoals telefoon, brief, fax, E-mail of een apparaat zoals bijvoorbeeld de koffiemachine (industrialisering van diensten).

Daar waar er facilitaire dienstverlener wordt genoemd, kan het of gaan om de eigen facilitaire organisatie of om een externe dienstverlener. De logistieke keuze moet weer worden gezien in het licht van de dienstverleningsformule, maar hangt daarnaast ook zeer nauw samen met het soort dienst dat wordt verleend en de mate waarin de klant zelf voor de uitvoering zorg kan dragen. Dat wil zeggen is de dienst materiegebonden, gegevensgebonden, interactiegebonden of een combinatie van deze en in welke hoedanigheid moet er dienstverleningspersoneel aan te pas komen. De eerste afweging ten aanzien van de logistiek is dan ook die tussen levering door mensen of door een machine. Als de levering plaatsvindt door mensen is de volgende afweging wie naar wie toe gaat. Als de prestatie sterk locatiegebonden is ligt het voor de hand dat de klant naar de dienstverlener toegaat. Is de prestatie sterk persoonsgebonden dan maakt het in feite niet uit waar de levering plaatsvindt en wie naar wie gaat. Een andere factor is of er verstoring optreedt in de continuïteit van de productiviteit van de klant en de mate waarin dit verschilt als deze naar de dienstverlener toegaat of als de dienstverlener naar de klant toegaat.

Bij levering via een fysiek medium moet het voor de klant volkomen duidelijk zijn wat er van hem wordt verwacht en hoe hij moet handelen. Hoe minder de klant met dienstverlenend personeel te maken heeft, hoe meer hij zelf de productie van de dienst zelf ter hand moet kunnen en willen nemen. Voordat de dienstverlener er toe overgaat gebruik te maken van allerlei apparatuur voor de levering van de dienst zal hij dan ook een tweetal afvragingen goed moeten hebben overwogen:
- Is de klant in staat om zo te handelen?
- Is er voor de klant een bepaalde motivering aanwezig om zo te handelen?

De reden voor deze afvragingen is dat de dienstverlener de verwachting en de ervaring van de klant niet of nauwelijks meer zelf in de hand heeft. De kwaliteit van de dienst en dus van de facilitaire organisatie ligt in de handen van de klant en de manier waarop deze in staat is om met de beschikbare middelen een prestatie te leveren die aan zijn verwachting tegemoetkomt. Als de klant namelijk niet goed begrijpt hoe het decentrale copieerapparaat werkt is het de facilitaire organisatie die geen kwaliteit levert, en niet de leverancier van de copieerapparaten. Bij de inzet van een fysiek medium voor de levering van de prestatie moet de nadruk liggen op de participatie van de klant in het productieproces van deze dienst. Bij koffie-automaten en copieerapparatuur moet de klant in staat zijn om de knoppen te bedienen, bij informatiediensten via E-mail moet de klant dan weten hoe in te loggen in het netwerk en zijn mailbox leeg te halen et cetera. Om de participatie in het productieproces van de dienst en de motivering voor het gebruik van apparatuur te verbeteren, zal de facility manager ertoe moeten overgaan zelf duidelijke en voor de gebruikers leesbare handleidingen te maken, of de apparatuur dusdanig (veel) plaatsen in het pand dat er niet of nauwelijks kans is op lange rijen en dus wachttijden. Als er van persoonlijke levering wordt overgestapt op levering via apparatuur zal dit tijdig en duidelijk moeten worden aangekondigd en er zal het nodige aan voorlichting aan de toekomstige gebruikers moeten worden gedaan ten aanzien van het hoe en waarom van de apparatuur.

Het soort dienst heeft een grote invloed op de logistieke keuze. Puur materiegebonden of machinegebonden diensten lenen zich in de meeste gevallen uitstekend om via zelfbediening en apparatuur te leveren. Hiervoor komen bijvoorbeeld vrijwel alle etens- en drinkwaren in aanmerking. Gegevensgebonden of systeemgebonden diensten kunnen dankzij de ontwikkeling op het gebied van de informatietechnologie (automatisering, Internet, E-mail) ook steeds beter en vaak efficiënter via zelfbediening geleverd worden. Vrijwel alle informatiediensten die nu door facilitaire medewerkers worden uitgevoerd kunnen daar onder worden verstaan, zoals het muteren van de interne telefoonlijst, het vastleggen van de vergaderruimten en andere agenderingstaken. Interactiegebonden of persoonsgebonden diensten vereisen nu eenmaal de persoonlijke ontmoeting van klant en dienstverlener. Hierbij kan niet aan de personele tussenkomst worden ontkomen, tenzij het productieproces van de prestatie danig wordt veranderd. Om de mogelijkheden voor zelfproductie of een efficiëntere logistiek goed op een rij te krijgen, zullen eigenlijk alle afzonderlijke diensten geëvalueerd moeten worden, bijvoorbeeld door gebruik te maken van de dienstverleningsprocesmatrix (zie hiervoor ook bij productontwikkeling en innovatie). Drie voorbeelden om aan te geven waar de grens kan worden getrokken:

- Een toegangspasjessysteem in plaats van bewakingspersoneel.
- Koffie-automaten in plaats van koffierondes.
- Pandbewoners die zelf de werkplek schoonhouden in plaats van schoonmaakservice.

Bij een te ver doorgevoerde industrialisering van diensten moet op een gegeven moment de vraag worden gesteld wat het begrip 'facilitair' nog voor betekenis heeft voor de pandbewoners en de facilitaire organisatie.

Vanwege de ontastbaarheid van diensten speelt de onzekerheid van de klant in het logistieke proces een grote rol. Dit geldt niet alleen bij het indienen van het verzoek, ook bij de uiteindelijke uitvoering van de prestatie speelt dit een grote rol. Als deze onzekerheidsperceptie toeneemt, bijvoorbeeld omdat de dienst belangrijk is voor de klant of meer impact heeft op zijn doen en laten, zal de dienst 'tastbaarder' gemaakt moeten worden. Dit is de reden dat de keuze van de fysieke vestigingsplaats van dienstverleners in het algemeen zo belangrijk is. Vergelijk hiervoor de consultant die thuis op de zolderkamer werkt met de consultant die in een zeer sjieke villa is gehuisvest. Beiden kunnen ze gelijke prestaties leveren, alleen associeert de klant de sjieke villa eerder met goede prestaties dan de zolderkamer. De *vestigingsplaats* van de facilitaire organisatie komt tot uiting in de situering van de receptie, het bedrijfsrestaurant, de plaats van de koffie- en copieerapparatuur, de locatie van de toiletten, de afstand van het parkeerterrein tot het pand. De gehele opbouw en aankleding in en om de huisvesting moet gezien worden als een logistiek aandachtsgebied voor de facility manager. De vraag is alleen hoe vaak en in welke fase de facility manager ook inderdaad bij bijvoorbeeld nieuwe huisvesting betrokken is, of bij de aanleg van spraak- en datalijnen in het pand. Hier wordt niet alleen een beroep gedaan op de facility manager als ergonoom, ook als marketer, als bedrijfs(proces)kundige, als econoom en bovenal als sparring partner van al die anderen die zich zo graag met de opbouw en aankleding in en om de huisvesting bezighouden. De inrichting en situering van een groot aantal faciliteiten moet niet alleen maar als aankleding worden beschouwd, maar moet aansluiten bij het doel en de dienstverleningsformule van de facilitaire organisatie. Het distributiebeleid is immers een vertaling van de logistieke wensen en behoeften van de pandbewoners en de marketingstrategie naar de logistieke mogelijkheden die de huisvesting thans biedt of moet gaan bieden in het geval van herhuisvesting.

6.5. Het promotiebeleid

Voor het promotiebeleid in z'n algemeenheid geldt er een drietal gulden regels:

* "Onbekend maakt onbemind."
* "Creativiteit zonder strategie is een ongeleid projectiel."
* "De helft van iedere reclamegulden is weggegooid geld, maar je weet niet welke helft."

Afgaand op de eerste regel zal de facilitaire organisatie zich moeten profileren binnen de onderneming als de marktgerichte, efficiënte, klantvriendelijke en professionele organisatie die het wil zijn. Daar is immers meer voor nodig dan alleen maar goede prestaties leveren. Maar als er dan allerlei promotionele acties worden ondernomen is het minstens zo belangrijk dat de gestelde doelen hiermee worden ondersteund en dat het past in het beleid dat de facilitaire organisatie heeft uitgestippeld zegt de tweede regel. Regel drie geeft aan dat reclame maken nou eenmaal geld kost en dat een deel van die reclame totaal niets uithaalt. Maar wat is het risico als we het niet doen.

Het nut van promotie laat zich raden als we kijken naar de doorgaans grote discrepantie tussen het imago en de identiteit van de facilitaire organisatie. Het imago ofwel het beeld dat de pandbewoners hebben van de facilitaire organisatie sluit doorgaans niet aan bij de identiteit, het beeld dat de organisatie wenst uit te stralen. Het beeld van de mannen in de oude blauwe stofjas raak je niet kwijt door alleen maar een andere manier van optreden aan de dag te leggen. Als het gaat om (het gebrek aan) herkenning en erkenning van de facilitaire organisatie, dan kun je gerust stellen dat ze dit voornamelijk in eigen hand heeft. Om een positief beeld naar buiten te brengen is het vooral belangrijk dat de facilitaire organisatie als een goed georganiseerde eenheid naar buiten treedt en in de uitvoering noch in de uitstraling bevestigt dat het om allemaal aparte vooral erg doenerige functionarissen gaat die wel draaien op het moment dat de klant daarom vraagt.

De reden waarom de facilitaire organisatie een promotiebeleid dient op te stellen is niet zozeer de gewenste of noodzakelijke herkenning en erkenning. Het is gelegen in het feit dat ze als een soort bedrijf in een bedrijf functioneert. De facilitaire organisatie staat ten dienste van de pandbewoners en promotie heeft daarom ook primair tot doel om deze klanten te informeren over het dienstenpakket dat ze kunnen afnemen en waar ze het kunnen betrekken. Hoe beter de klant is geïnformeerd over wat de facilitaire organisatie voor hem kan betekenen, hoe minder de productiviteit van de klant wordt verstoord. Hoewel de promotie van de facilitaire organisatie wel is gericht op de 'verkoop' van haar diensten heeft het nooit tot doel om de vraag naar facilitaire dienstverlening te stimuleren of te vergroten. Wel het vergroten van het gemak voor het doen van een beroep op de facilitaire organisatie kan een doel zijn.

6.5.1. Het communicatieplan

Om de promotie van de facilitaire organisatie gestalte te geven en te communiceren naar de verschillende klantengroepen is er een scenario nodig. Dit scenario, het communicatieplan, vormt de rode draad die wordt gevolgd om gedurende een bepaalde periode de facilitaire organisatie te profileren en haar activiteiten bekendheid te geven. Als een dergelijk scenario ontbreekt ontstaat al gauw het risico dat de communicatie een samenraapsel van acties wordt en inconsistenties gaat vertonen. De eenduidige profilering van de facilitaire organisatie loopt dan uiteraard gevaar. Het communicatieplan kan zowel voor de gehele facilitaire organisatie worden opgesteld als voor de verschillende subafdelingen en diensten daarbinnen. Daar waar de communicatie over de gehele facilitaire organisatie veel meer bedoeld is voor het kweken van naambekendheid, herkenning en erkenning richt de communicatie van de verschillende activiteiten en diensten zich meer op de praktische en inhoudelijke kant ervan voor de pandbewoners.

Het nut van een goed opgezette en uitgevoerde campagne mag niet onderschat worden. Denk aan bijvoorbeeld het effect van imagocampagnes op de recrutering. In z'n algemeenheid willen mensen graag werken voor succesvolle bedrijven of zelfs bedrijfsonderdelen. De reden dat in het verleden het personeelsbestand van de facilitaire organisatie voornamelijk bestond uit 'doorstromers' van andere interne afdelingen, en niet uit professionele, geschoolde, goed gemotiveerde dienstverleners heeft waarschijnlijk ook te maken met het feit dat niemand de baan van facilitaire medewerker ambieerde. Omdat het imago zo bar en boos was en mogelijk nog is in sommige facilitaire organisaties worden geen jonge, gekwalificeerde medewerkers aangetrokken. Deze wijken liever uit naar commerciële dienstverlenende bedrijven waar wel het nodige aan imagocampagnes wordt gedaan.

De stappen richting een heldere campagne zijn als volgt:

- **Bepalen van de doelgroep**
De allereerste stap is het bepalen van de communicatiedoelgroep of -doel-

groepen tot wie we ons gaan richten. Afhankelijk van wat we willen over-brengen zal er een bepaalde doelgroep geselecteerd moeten worden. Dit kun-nen alle klanten zijn, bepaalde subgroepen hiervan, het management van de onderneming, externe klanten of bijvoorbeeld het eigen dienst-verleningspersoneel. Van deze doelgroepen is vervolgens belangrijk om een aantal relevante zaken te weten te komen om een goede communicatie met hen tot stand te brengen. We moeten weten wie het zijn, waar ze zitten, hoeveel 'adressen' het zijn, wat hun koopgedrag en communicatiegedrag is, met welke media ze in aanraking komen en kunnen komen, wanneer en hoe we ze het beste kunnen bereiken, wat het imago is dat de facilitaire organisatie thans in hun ogen heeft et cetera. Wanneer er een goed beeld is gevormd van de doelgroepen kunnen de promotie-activiteiten op een effectieve wijze op hen worden afgestemd, wordt er een beter resultaat behaald en levert iedere reclamegulden dus meer rendement op. Als dat wordt verzuimd is de kans groot dat de reclameboodschap op weerstand stuit of gewoonweg niet overkomt. Een goed beeld van de doelgroep plaveit als het ware de weg naar een effectieve communicatie en de juiste inzet van de juiste communicatiekanalen en -middelen.

- **Bepalen van de doelen**
  Volgende stap is om aan te geven wat we met de communicatie willen bereiken. Het algemene doel van communicatie is altijd de beïnvloeding van het gedrag van de omschreven doelgroepen, door deze te *informeren*, te *over-tuigen*, te *herinneren* of tot onmiddellijke *actie* te bewegen. In de doelstelling worden de belangrijkste aspecten van de facilitaire organisatie en haar diensten omschreven die we bij de doelgroepen willen overbrengen en deze kunnen zowel operationeel, tactisch als strategisch van aard zijn. Operationele communicatie is veelal actiegericht, zit vooral in de eenmalige informatieve sfeer en heeft doorgaans te maken met slechts één aspect van de dienstverlening. Tactische communicatie zit meer in de acceptatie- en motivatiehoek waarbij bepaalde weerstanden overwonnen moeten worden terwijl strategische communicatie zich meer richt op de profilering van de totale facilitaire organisatie. Hoe strategischer het doel hoe frequenter, consistenter en planmatiger de communicatie moet zijn. Een voorbeeld van een operationeel doel is de aankondiging van een nieuwjaarsreceptie voor alle pandbewoners. Een tactisch communicatiedoel is bijvoorbeeld de acceptatie van een veranderende werkwijze met betrekking tot de behandeling van verzoeken tot dienstverlening bewerkstelligen (denk aan de invoering van de servicedesk). Strategische communicatiedoelen hebben meer een direct verband met de ontworpen dienstverleningsformule en de bijbehorende positionering van de facilitaire organisatie. De reële plaatsbepaling ten opzichte van de concurrentie wordt bepaald door de keuze van de diensten, de prijsstelling en de gekozen distributiestructuur. De psychologische positionering wordt bewerkstelligd middels de promotie van de facilitaire organisatie. Alle uitingen die worden gedaan zullen deze formule en positionering op een consistente manier moeten ondersteunen.

Enkele voorbeelden van communicatiedoelen zijn:
- De pandbewoners informeren over het dienstenpakket.

- De klant kostenbewust maken.
- Het beïnvloeden van de consumptie van de klant.
- Profileren van de facilitaire organisatie als professionele, klantgerichte eenheid.
- Aankondiging van een grootschalige verhuizing.
- Toegankelijker maken van de facilitaire organisatie.
- Openingstijden en werkzaamheden van de servicedesk aankondigen;
- Et cetera.

- **Ontwerpen van de boodschap**

Als de verschillende doelen zijn geformuleerd dient er voor het behalen hiervan een thema of een kernboodschap opgesteld te worden, waarin de belangrijkste voordelen van de specifieke dienst, van een bepaalde actie of werkwijze of van de gehele facilitaire organisatie in klantentermen wordt aangegeven. Het gaat dan niet om de faciliteiten en diensten zelf, maar wat het voor de klant kan betekenen en bij welke behoefte het aansluit. Niet wat het is of doet maar wat het voor de klant betekent of doet moet centraal staan in de communicatie. Het thema vormt de vertaling van het communicatiedoel voor de facilitaire organisatie naar klantvoordelen. Met name bij veranderingsprocessen·is het schetsen van het persoonlijke voordeel voor de klanten belangrijk. Veranderingen stuiten per definitie op weerstanden en mensen zijn pas bereid te veranderen wanneer er persoonlijk voordeel uit te halen valt. De mate waarin weerstanden worden verwacht en van wie binnen de doelgroep moet dan ook zorgvuldig worden onderkend en bij het ontwerpen van de boodschap dient daar rekening mee gehouden te worden. Als het centrale thema is opgesteld moet er worden bepaald wat we gaan zeggen (de inhoud van de boodschap), hoe we het gaan zeggen en wie het zegt.

- **Wat te zeggen?**

De inhoud van de boodschap kan iets bevatten over de eigenschappen en kenmerken van een bepaalde dienst, over het hoe en waarom van de dienst of actie, de kwaliteit en prijs ervan et cetera. Afhankelijk van of de bepaalde dienst persoonsgebonden, systeemgebonden of machinegebonden is, moet er ook over de mensen, het proces en de machines worden gecommuniceerd. Omdat diensten ontastbaar zijn zal de klant middels de inhoud van de boodschap enig houvast geboden moeten worden. Het verschaffen van inzicht in het dienstverleningsproces en de verschillende proceselementen zoals contactpersoneel, de rol van de klant hierin, de procedures en de hulpmiddelen biedt ook mogelijkheden om de dienst tastbaarder te maken.

- **Hoe het te zeggen?**

Met de doelstellingen en de boodschap in het achterhoofd moeten we een keuze maken voor de meest geschikte benadering van de doelgroepen. Het gaat dan zowel om de structuur en logische opbouw van de boodschap, zoals de toonzetting, de argumentatie en de stijl (wetenschappelijk, suggestief, vergelijkend, hard sell) als de symbolische opbouw van de boodschap in de zin van vormgeving en lay out. Afhankelijk van het te bereiken doel kan de benadering rationeel of emotioneel van aard zijn, inspelen op bepaalde angsten van de doelgroep of juist een humoristische ondertoon kennen.

- **Wie zegt het?**
Bij het gebruik van personen bij het overbrengen van de boodschap (al of niet in fysieke zin) weegt de geloofwaardigheid zwaar. Vergelijk de arts in spijkerbroek en de arts in de witte doktersjas. Beide doen ze hetzelfde maar voor de buitenwereld lijkt het op het eerste gezicht niet zo. Het spreekt voor zich dat bij de keuze van de communicatiebron degene wordt gekozen die het meeste effect heeft op de doelgroep en afhankelijk van de bedoeling en de boodschap kan dit betekenen dat de bron neutraal moet zijn of juist een bekende moet zijn van de doelgroep. Deskundigheid, reputatie en ervaring van de bron spelen een grote rol bij de acceptatie van de boodschap.

- **Bepalen van de communicatiemedia of -kanalen**
Bij de uiteindelijke bepaling van de te gebruiken kanalen en media om de boodschap over te brengen is het belangrijk dat deze weer aansluiten bij de doelgroep en de doelstelling. Wanneer de communicatie voornamelijk een sociale doelstelling kent zijn informele kanalen geschikter dan wanneer er een 'commerciële' doelstelling aan ten grondslag ligt, waarvoor formele kanalen weer meer geschikt zijn. Naast het verschil tussen formele en informele media zal een keuze tussen persoonlijke (face to face) en onpersoonlijke (massacommunicatie) kanalen gemaakt moeten worden. Persoonlijke communicatie heeft weliswaar een grotere impact echter er kan een veel kleinere doelgroep mee bereikt worden.

6.5.2. De communicatiemix

Na het hebben opgesteld van het scenario is het zaak de uitvoering ervan te verzorgen met behulp van de verschillende communicatie-instrumenten, de zogenaamde communicatiemix. Dit is het gereedschap om het uitgestippelde beleid in de tijd mee uit te voeren.
Voorbeelden van communicatiemiddelen voor de facilitaire organisatie zijn:

- **Publicatieborden**
Door op diverse plekken in het pand publicatieborden op te hangen kunnen bepaalde mededelingen worden verspreid en aankondigingen worden gedaan richting de pandbewoners. Publicatieborden hebben een enigszins formeel karakter en er kunnen grote groepen pandbewoners op een goedkope wijze mee worden bereikt. Ze kunnen ook als scorebord fungeren: "In week 12 hadden we 17% minder klachten".

- **Ideeënbus**
De ideeënbus is een typisch voorbeeld om de betrokkenheid van de pandbewoners met de facilitaire organisatie te vergroten. De pandbewoners kunnen op deze manier inspraak krijgen in bijvoorbeeld de samenstelling van het assortiment en ze kunnen op een anonieme manier klachten en verbeteringsvoorstellen indienen.

- **De producten- en dienstencatalogus**
Met vaststellen van het facilitaire assortiment, normen en randvoorwaarden

ten aanzien van de dienstverlening en het opstellen van service level agrements met het management is men er nog niet. Als de klant niet weet wat de facilitaire organisatie nou allemaal voor hem kan betekenen, hoe kun je dan verwachten dat de gevraagde dienstverlening beheersbaar blijft. Onontbeerlijk en als een eerste aanzet tot het inzichtelijk maken van het facilitaire assortiment is daarom een zogenaamde producten- en dienstencatalogus. Een dergelijke gids geeft in feite weer hoe de facilitaire organisatie haar back office heeft gestructureerd, wat de verschillende producten en diensten zijn en hoe ze kunnen worden aangevraagd bij de facilitaire organisatie. Noem het een shoppinglist, een menukaart al of niet met vermelding van de tarieven.

- **Circulaires, flyers en periodieke uitgaven**
  Middels allerlei schriftelijke uitgaven kan op een relatief eenvoudige wijze het merendeel van de pandbewoners worden bereikt met een bepaalde boodschap. Er kan zelfs voor worden gekozen om de schriftelijke uitingen op een aantal vaste distributieplaatsen in het pand neer te leggen of bij iedere werkplek via de interne postroute af te laten geven. Hoe persoonlijker de distributie hoe groter de kans op het bereiken van de doelgroep is. Wat de profilering van de facilitaire organisatie ten goede komt is bijvoorbeeld een periodieke uitgave van een 'huisorgaan' van de facilitaire organisatie. Hierin kunnen allerlei facilitaire zaken worden behandeld, hetgeen de klant uiteraard wel aan moet gaan. Door eens per maand een medewerker van de facilitaire organisatie een stukje te laten schrijven in het huisorgaan zal de motivatie toenemen en het gevoel voor (h)erkenning ten goede komen.

- **Electronische post**
  De meest snelle manier om iedereen of een bepaalde groep pandbewoners op een directe manier te bereiken is door een e-mail te verzenden. Korte berichtjes om even snel iets aan te kondigen sorteren altijd effect en op dit moment wordt e-mail nog steeds gelezen (terwijl de schriftelijke mailingen steeds vaker rechtstreeks in het ronde archief belanden).

- **Logo, bedrijfskleding, stickers en posters**
  Ter algehele promotie en profilering van de facilitaire organisatie kunnen allerlei instrumenten worden gebruikt, variërend van het ontwerpen van een logo voor de facilitaire organisatie tot het uitrusten van bepaalde groepen facilitaire medewerkers met bedrijfskleding. Wat hiermee voornamelijk wordt bereikt is uiterlijke uniformiteit en herkenbaarheid van de facilitaire organisatie.

6.6. Het personeelsbeleid

Personeel als marketinginstrument gaat over wie je wanneer waarvoor gaat inzetten. Het is niet het personeelsbeleid zoals een afdeling P&O het voert, met aspecten als loopbaanontwikkeling, salariëring en het aantal vakantiedagen. Binnen de dienstverlening zal een keuze gemaakt moeten worden tussen enerzijds front office en anderzijds back office medewerkers. Niet iedereen is even geschikt om met de klant in contact te komen, ook al is er in de dienstverlening al snel sprake van 'menselijk contact'.

6.6.1. De ware dienstverlener

Dienstverleners zijn een apart soort mensen met allemaal één ding gemeen: ze zijn als butler geboren. De ware dienstverlener heeft meer ogen voor de klant dan voor de randvoorwaarden van zijn vak. Dienstverlening vraagt ook bepaalde 'menselijke' kwaliteiten die lang niet bij iedereen even sterk zijn ontwikkeld. De ware dienstverlener is communicatief, heeft inlevings-vermogen en improvisatietalent, kent een bepaalde sociale bewogenheid, is hulpvaardig en houdt van mensen.

Maar al te vaak bestaat het personeel van de facilitaire organisatie uit over-geplaatst personeel van andere interne afdelingen. Hoe vaak wordt er niet vanuit gegaan dat onbekwaam en overtollig geworden personeel wel bij de facilitaire dienst kan worden ondergebracht. Ten eerste omdat het gemakke-lijker en socialer is dan iemand ontslaan, en ten tweede omdat toch iedereen kan wat daar gebeurt. De facility manager zou zich daartegen flink moeten verzetten. Van hem wordt namelijk wel verwacht dat hij een professionele en kwalitatief goede prestatie levert en daarvoor heeft hij een bepaalde minima-le kwaliteit van medewerkers nodig. De facility manager zal het profiel van de juiste man op de juiste plaats moeten formuleren en vervolgens actief gaan werven naar dat type persoon. Dat is personeelsbeleid. Per facilitaire taak of functie zal een medewerkersprofiel opgesteld moeten worden om vervolgens net zolang te zoeken of mensen te trainen tot aan dit profiel wordt voldaan. Een dienstverleningsformule opstellen en implementatie-plannen uitwerken is mooi, maar met een club van afgedankte korfballers is het moelijk roeien. Dan wordt het letterlijk roeien met de riemen die je hebt. Bekwaam personeel is voor professionele facilitaire dienstverlening te belangrijk om zich te laten opschepen met de eerste de beste 'overhead' die vanuit een compleet ander vakgebied de dienstverlening binnenkomt.

Het andere uiterste dat we als type vaak tegenkomen binnen de facilitaire or-ganisatie is de vakidioot met de stofjas. Facilitaire medewerkers hebben nog-al eens de neiging hun specifieke vak of taak heilig te verklaren en boven al-les te stellen. Jargon is ook facilitaire medewerkers niet vreemd en hoe tech-nischer de werkzaamheden hoe meer jargon er schijnbaar meehelpt aan de klus. Als antwoord op de vraag of het schilderij morgen kan worden opge-hangen krijg je dan: "afhankelijk van de prioriteit die de vervanging van het object ten opzichte van de doormeting van het ventilatiesysteem op relatieve constante variabele heeft, zal ik kijken of er volgende week nog een gaatje is te vinden in de werkplanning om iemand langs te sturen voor inspectie" of "nee!". In beide gevallen wordt er weliswaar antwoord gegeven, maar wordt aan het echte verzoek voorbijgegaan. Het is vooral de doenerigheid van faci-litaire medewerkers die aanleiding geeft tot het voorbij gaan aan de wens van de klant. "Ze hebben het tussen de oksels in plaats van tussen de oren zitten" (H. Klee). Dat heeft ook te maken met de werkwijze van de oude interne dienst, die sterk taakgericht was en waar vooral werkmethodes en procedures de aandacht hadden.

De ware dienstverlener kenmerkt zich door zijn professionalisme en klant-gerichte instelling. En klantgerichtheid begint bij het management, zij zullen het goede voorbeeld moeten geven, opdat de medewerkers weten waaraan ze gehouden worden, opdat door de gehele organisatie heen klantgerichtheid wordt (uit)gedragen. Dan, wanneer de manager dat marketinggevoel heeft, kan worden begonnen met het personeel. De facilitaire medewerkers moeten zich niet bezighouden met schoonmaken, beveiligen, technisch onderhoud plegen en zo meer. Facilitaire medewerkers moeten zich met de klant bezighouden op het moment dat ze hun taken verrichten. Hiervoor is in een aantal gevallen wellicht training nodig, in andere gevallen wellicht cultuursessies op de hei. Maar de facility manager moet ook eerlijk zijn tegenover zichzelf en de hele facilitaire organisatie dat, op het moment blijkt dat een bepaalde medewerker of groep medewerkers zich niet kunnen of willen aanpassen aan de veranderende eisen vanuit de markt, er een vacature ontstaat. Het principe van roeien met de riemen die je hebt is alleen van toepassing wanneer er geen keuze is.

6.6.2. Wie hoort op welke stoel te zitten?

De implementatie van de marketingstrategie kan ook gevolgen hebben voor de personele bezetting van de facilitaire organisatie. De uitvoering van de strategie, het uiteindelijk waarmaken van de dienst is en blijft in veel gevallen toch mensenwerk. Het uitgestippelde beleid zal dan ook qua benodigde kennis, vaardigheden en cultuur uitvoerbaar moeten zijn en in grote mate aansluiting moeten vinden bij de huidige personele bezetting. Echter, toch kan er in veel gevallen niet aan worden ontkomen dat er verschuivingen optreden of dat 'verversing' van personeel nodig is. Zeker wanneer de marketinggedachte nog onbekend was bij het personeel zal dit een heus veranderingsproces op gang brengen. Door het uitvoeren van een klantgerichtheidsonderzoek komt aan het licht in welke mate en op welke vlakken deze verandering nodig is.

Bij het toewijzen van personeel kan natuurlijk zoveel mogelijk van de huidige bezetting worden uitgegaan. De vereiste (specialistische) kennis, vaardigheden en ervaring om de dienst waar te maken spelen dan een belangrijke rol. Maar het is evenzo zinvol om binnen het gehele producten- en dienstenpakket te kijken waar de klant met de facilitaire medewerkers in contact komt en ten aanzien van dit klantencontact vervolgens de eerste toewijzing van personeel te doen. In de dienstverlening is zoals al meer is gezegd het contactpersoneel van uitermate groot belang op de kwaliteit. Op de stoelen van de front office zullen de meest klantgerichte en professionele dienstverleners moeten zitten, zoals in het stuk over de ware dienstverlener is uiteengezet. De back office vereist veel meer specialistische en administratieve kennis en vaardigheden ten aanzien van het proces. Ruwweg kan worden gesteld dat front office mensenwerk is en daarom mensenkennis vereist en dat back office systeemwerk is en daarom systeemkennis vereist. Om zoveel mogelijk de juiste man op de juiste plaats te krijgen kunnen zowel de verschillende facilitaire werkzaamheden als de facilitaire medewerkers worden aangetekend in het onderstaande, wat ik zou willen noemen, 'mens/machine-diagram'.

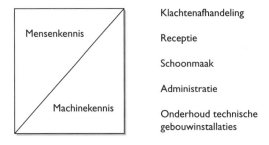

Figuur 6.7. Het mens/machine-diagram.

Door allereerst voor de verschillende facilitaire taken het diagram in te vullen en vervolgens eenzelfde diagram op te stellen voor de verschillende facilitaire medewerkers en deze op elkaar te leggen, volgt haast automatisch de beste man op de beste plaats uit de vergelijking. Zo vereist de klachten-afhandeling een maximum aan mensenkennis en een minimum aan machinekennis (ook wel technische of systeemkennis). En andersom vereist het technisch onderhoud aan gebouwinstallaties weer een maximum aan machinekennis en een minimum aan mensenkennis. De verschillende taken die door personeel worden uitgevoerd en, let wel, ook subtaken of afgeleide taken hiervan (schoonmaak en schoonmaakklachtenbehandeling) hebben zo allemaal hun eigen plaats in het diagram. Een stap verder zou zijn om een derde dimensie aan het diagram toe te voegen en de specifieke kennis te benoemen of onder te verdelen in bijvoorbeeld vakgebieden als personeel, commercieel, logistiek, technisch, administratief, communicatief et cetera. Van de niet gedekte gebieden of tekortkomingen wordt dan heel gemakkelijk zichtbaar waar en hoe er bijgespijkerd of geworven moet worden. Het voert te ver om hier uitgebreid op in te gaan. Waar het om gaat is dat de facilitaire eenheid de uitvoering van de marketingstrategie gestalte weet te geven met of eigen medewerkers of medewerkers van externe partijen en dat de dienstverleningsformule hard wordt gemaakt. Het halen van bijvoorbeeld een efficiency-doelstelling kan alleen met gemotiveerd personeel dat ook weet wat efficiency inhoudt. In die zin moet dienstverlening en sociale contacten ook niet met elkaar worden verward. Als bij de facilitaire dienst-verlening bepaalde sociale contacten aan te pas komen (en dat is vaak het geval) zal daar op een professionele maar ook effectieve en efficiënte wijze mee omgesprongen moeten worden. Als iemand in de facilitaire dienst-verlening zit om de sociale contacten had hij beter een ander beroep kunnen kiezen: een sociaal werker zit ook in de dienstverlening of anders heeft een praatgroep na het werk wellicht effect.

6.6.3. De zeven zonden van dienstverlenende bedrijven

Dat service en klantvriendelijk gedrag niet vanzelf komt is nu wel duidelijk. Maar waar aan ligt het nou als het nou niet lukt? Karl Albracht heeft in zijn boek At America's Service (in Bakker, 1988) een opsomming gemaakt van de zonden die bij dienstverlenende bedrijven naar voren komen. Het zijn er zeven:

- Apathie.
- Afschuiven.
- Koelheid.
- Neerbuigend.
- Robotisme.
- Richtlijnen overheersen.
- Van het kastje naar de muur.

We kunnen ons bij een ieder van deze zonden wel iets voorstellen, maar toch volgt hier een voorbeeld van elk van hen, toegepast op de praktijk van alledag van de facilitaire organisatie.

- **Apathie**
  Het apathische, gevoelloze en onverschillige gedrag van een caissière kennen we allemaal. Je komt met je dienblad met eten bij de kassa van het bedrijfs-restaurant en de medewerk(st)er aldaar doet niets anders dan de bedragen aanslaan, het geld in ontvangst nemen en de volgende klant aankijken. Geen smakelijk eten, geen "dat is dan vijf gulden en een kwartje", geen niks. Totaal niet betrokken bij de zaak. Apathie blijkt vooral uit non-gedrag, waarbij de klant dan zoiets over zich krijgt alsof hij de betreffende medewerker om een gunst vraagt.

- **Afschuiven**
  En wie kent er niet een voorbeeld van het afschuiven van werk of verant-woordelijkheden. "Dat doet m'n collega straks wel, die is daar toch mee bezig dacht ik", of "dan moet u niet bij mij zijn, dat is niet mijn afdeling." Afschuiven is het nee-verkopen zonder alternatief te bieden om er vooral zelf maar van af te zijn.

- **Koelheid**
  Koelheid heet in de volksmond ook wel ambtelijk. De typische houding van loketmedewerkers van een overheidsorgaan waar de somberheid, de een-tonigheid en de afstandelijkheid er gewoon vanaf straalt is daar een goed voorbeeld van. Koelheid kenmerkt zich vooral in een onpersoonlijke bena-dering van de klant.

- **Neerbuigend**
  Bij een neerbuigende houding van de dienstverlener krijg je de indruk dat je als klant blij mag zijn te worden geholpen. De klant wordt voor dom aange-zien of wordt als onvermogend behandeld. "Maar meneer, dat weet u inmid-dels toch wel..." of "Ach ja, u wist dat natuurlijk ook niet". Vooral tegenover ouderen en jongeren wordt deze houding nogal eens aangenomen.

- **Robotisme**
  Robotisme zit hem in de uitvoering van het werk. Personeel doet de dingen als vanzelf, het is aangeleerd gedrag en het mist aan spontaniteit en oprechtheid. Men weet wat moet worden gedaan, alleen weet men niet hoe.

- **Richtlijnen overheersen**

  Wanneer richtlijnen overheersen wordt er niet meer geluisterd naar hetgeen de klant wil, maar wordt het boekje gevolgd. Klantgerichtheid zit hem juist in de persoonlijke interpretatie van gestelde richtlijnen. Immers richtlijnen zijn er altijd en overal.

- **Van het kastje naar de muur**

  Van het kastje naar de muur worden gestuurd heeft vaak te maken met onwetendheid. De betreffende medewerkers weten gewoonweg niet hoe het zit, maar doen geen enkele moeite om het even voor de klant na te vragen.

Als we het vervolgens hebben over de benodigde vaardigheden van de facilitaire medewerkers en de gehele facilitaire organisatie, is duidelijk dat de genoemde zeven zonden daar geen deel van uit mogen maken.

Epiloog

We hebben kunnen zien dat marketing meer inhoudt dan, zoals maar al te vaak wordt gezegd, marktonderzoek en reclame maken. Marketing omvat het gehele bedrijf in al z'n facetten. Met marketing wordt richting gegeven aan de bedrijfsactiviteiten en wordt er voor zorg gedragen dat het bedrijf een zekere positie inneemt op de markt en zo haar bestaansrecht weet veilig te stellen. Voor de facilitaire organisatie is de bijdrage van marketing al niet anders. In deze epiloog wordt nog eens benadrukt wat de toegevoegde waarde van marketing voor de facility manager is. Daarnaast wordt aangegeven hoe de facility manager het marketingconcept en marketingtechnieken kan implementeren binnen zijn facilitaire organisatie.

Het voornaamste doel van marketing is het hebben en houden van tevreden klanten door die producten en diensten aan te bieden waar klanten behoefte aan hebben. Kwalitatief goede producten leveren niet langer tevreden klanten op. Slechts die producten die zijn afgestemd op de daadwerkelijke behoeften van de klant leveren nog tevreden klanten op. Dat wil zeggen: wát wordt geleverd, wáár het wordt geleverd, hóe het wordt geleverd en wannéér het wordt geleverd is toegesneden op de klantsituatie. En om de voorkeur van de klant te genieten, om concurrerend te zijn, zul je jezelf positief moeten onderscheiden van de concurrentie. Het concurrentievoordeel dat hieraan ten grondslag ligt komt voort uit de waarde die een bedrijf voor zijn kopers kan creëren die de kosten ervan overtreffen.

Met de adoptie van marketing leert de facility manager op een andere manier aan te kijken tegen de praktijk van alle dag. Dat wil zeggen dat hij/zij leert te denken en handelen vanuit de interne en externe markt en zorgt dat de gehele facilitaire organisatie sterk op deze markt is georiënteerd. Het resultaat dat marketing oplevert bestaat uit de volgende 7 winstpunten:

- De formulering van een helder concept van dienstverlening dat voor alle facilitaire medewerkers 'inhoud' geeft aan wat zij voor de klant kunnen betekenen.
- Een scherp beeld van de interne en externe marktomstandigheden, zodat tijdig op relevante ontwikkelingen kan worden geanticipeerd en gereageerd.
- Een op de daadwerkelijke behoeften van de klant afgestemd assortiment van producten en diensten.
- Een verantwoord kostenniveau van dienstverlening.
- Een optimale verkrijgbaarheid en toegankelijkheid van het facilitaire assortiment, waardoor de continuïteit van de productiviteit van de pandbewoners wordt gewaarborgd.

- Een gedegen en professionele profilering van de facilitaire organisatie en een herkenbaar producten- en dienstenaanbod voor de pandbewoners.
- De juiste inzet van de juiste klantgerichte dienstverleners op de juiste plaats.

Door het toepassen van marketing komt de facilitaire organisatie dichter bij de klant en de belangen van het bedrijf te staan. Marketing voegt waarde toe aan de producten en diensten van de facilitaire organisatie. En door het toepassen van marketing neemt de klant- en werkpleksatisfactie toe en daalt de verspilling van tijd en geld gemoeid met het facilitaire proces. Het gevolg hiervan is een hogere efficiency en een beter algemeen bedrijfsresultaat.

Een stappenplan voor de invoering van marketing binnen de facilitaire organisatie.

Als vertrekpunt geldt de acceptatie van de marketinggedachte: *de behoeften en wensen van de klant gelden als uitgangspunt voor alle activiteiten van de facilitaire organisatie.*

Vervolgens beslaat dit transformatieproces een tweefasen aanpak:

I. Transformatie van de facilitaire organisatie naar een integrale klantgerichte eenheid en profilering ervan naar de klant toe. De focus ligt op de facilitaire medewerkers en hun handelwijze ten aanzien van de klanten. Trefwoorden hierbij zijn cultuur, interne afstemming gericht op kwaliteit en neuzen richten.

II. Ontwikkeling van een marketingstrategie resulterend in de positionering van de facilitaire organisatie en de implementatie van de marketinginstrumenten. Hier betreft het de externe afstemming van de facilitaire organisatie met de klant en de concurrentie gericht op het creëren van onderscheidend vermogen.

Fase I

De transformatie van de facilitaire organisatie naar een professionele en integrale klantgerichte facilitaire eenheid.

1. **Commitment van het management en afdelingshoofden**
   Als het transformatieproces geen dekking heeft bij het management en de afdelingshoofden van de facilitaire organisatie, is er nauwelijks kans op succes. Tevens zal het management een voorsprong op de facilitaire medewerkers moeten hebben met betrekking tot de uitgangspunten en de richting van het proces. Stap 1 is aldus gericht op het neuzen richten van de trekkers van het project. Een mogelijke aanpak hiervoor bestaat uit het houden van zogenaamde kick-off sessies en discussieprogramma's:
   - Kick-off sessie(s) over facilitaire dienstverlening in de ogen van een marketeer en waarom de marketingoriëntatie zo belangrijk is.

- Aanvullende discussie(s) met alle betrokkenen over de ervaring en acceptatie van de marketinggedachte, waarbij het uiteindelijke doel is dat de trekkers van het project de marketinggedachte onvoorwaardelijk adopteren.

2. Klanttevredenheidsonderzoek
De huidige stand van zaken aan het licht brengen: hoe goed doen we het in de ogen van de klant? Dit is de nulmeting voor het project om achteraf het resultaat inzichtelijk te kunnen maken.

Middels het uitvoeren van een schriftelijke enquête en persoonlijke interviews onder de pandbewoners wordt het functioneren van de facilitaire organisatie onderzocht. Het onderzoek moet gericht zijn op die onderdelen van de facilitaire dienstverlening waar klanten ook daadwerkelijk hun oordeel over kunnen vellen. Het onderzoek richt zich daarbij op wat de klant belangrijk vindt op het gebied van de facilitaire dienstverlening en de tevredenheid over die aspecten.

3. Klantgerichtheidsonderzoek
Huidige stand van zaken aan het licht brengen: tot wat zijn wij als facilitaire organisatie in staat? Dit is de nulmeting van de bekwaamheden van de facilitaire organisatie die dient als input voor eventuele trainingsprogramma's.

Het doel is het blootleggen van klantonvriendelijkheden die zitten in het systeem en de procedures, maar ook in de mentaliteit en discipline van de facilitaire medewerkers. Hiervoor worden het beste persoonlijke interviews afgenomen onder de facilitaire medewerkers gericht op:
- De samenwerking intern, de communicatie- en overlegstructuur, de besluitvorming, de houding ten aanzien van de klant et cetera.
- "Wat wil uw klant van u, wat doet u of uw afdeling, wat belemmert effectieve uitvoering van uw werk en hoe kunt u klanten behouden/winnen?"

4. Doelstellingen en strategie ontwikkelen
Met beide nulmetingen als vertrekpunt worden er haalbare, uitvoerbare en aanvaardbare doelstellingen geformuleerd over het gewenste kwaliteitsniveau van de facilitaire medewerkers en de dienstverlening en wordt de koers uitgestippeld om dit te bewerkstelligen. De vraag die hierbij centraal staat is: wat willen we met de klantgerichtheid bereiken?

Deze fase is gericht op het schetsen van de context van het veranderingsproces, het toekomstperspectief, het waarom en het creëren van een veranderingsbehoefte bij zowel de facilitaire medewerkers als de klant.

5. Trainingsprogramma's ontwikkelen voor de facilitaire medewerkers
Het klantgerichtheidsprogramma is er op gericht dat alle facilitaire medewerkers de klant zien als het meest belangrijke in hun werk en de aanwezigheid van concurrenten op de markt als besef aannemen.
De uitgevoerde nulmeting en de gestelde doelen gelden voor de trainingsprogramma's als kader. De trainingsprogramma's kunnen zich richten op:

- Klantgericht communiceren.
- Leren improviseren.
- Effectief werkoverleg.
- Verkooptrainingen.
- Omgaan met klachten.
- Et cetera.

6. Communicatiecampagne ontwikkelen

De profilering van de facilitaire organisatie naar de klant toe, gericht op imagoverandering c.q. -verbetering van de gehele facilitaire organisatie. De communicatie behandelt wie de facilitaire organisatie is en wat ze kan betekenen voor de klant.

Zowel gedurende het transformatieproces als daarna draagt een heldere communicatiecampagne bij aan de acceptatie van de verandering en herkenning en erkenning van de facilitaire organisatie. De profilering gaat het beste gepaard met het opstellen van een producten- en dienstencatalogus, die dient om de klant kennis te laten nemen van het totale dienstenaanbod van de facilitaire organisatie en de daar aan gekoppelde randvoorwaarden. Hierdoor ontstaat duidelijkheid omtrent de grenzen en de invulling van de dienstverlening.

De verdere invulling van de campagne kan zich uiten in:
- Voorlichting en presentaties aan zowel klanten als facilitaire medewerkers.
- Publicatieborden en resultaatborden.
- Stickers, give aways.
- Ideeënbus.
- Beeldmerk of slogan voor de facilitaire organisatie.
- Et cetera.

7. Klanttevredenheidsonderzoek

Na afronding van het transformatieproces (voor zover dat al mogelijk is) wordt hetzelfde klanttevredenheidsonderzoek dat als nulmeting werd verricht nogmaals uitgevoerd. Ditmaal om het succes te kunnen meten van de uitgevoerde transformatie.

In schema ziet het transformatie proces er als volgt uit.

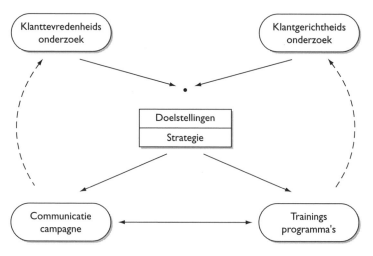

Figuur 6.8. Transformatieprocesschema.

Fase II

De ontwikkeling van een marketingstrategie en de implementatie ervan met behulp van de verschillende marketinginstrumenten.

Om op een uiterst snelle en toch adequate wijze een beeld te krijgen van de marktgerichtheid en marketingsituatie van een facilitaire organisatie ontwikkelde ik het zogenaamde 7-Treden Model. Het model is bedoeld voor het uitvoeren van een marketingscan bij organisaties, en vormt een checklist om stapsgewijs de belangrijkste facetten van de marketing te belichten. In die zin kan het ook prima als leidraad worden gebruikt om marketing (denken) in te voeren binnen de facilitaire organisatie.

1. **Dienstverleningsformule en positionering**
   - In welke behoefte voorziet de facilitaire organisatie?
   - Op welke wijze doet u dat (assortiment, serviceniveau)?
   - Welke afnemers vormen uw doelgroep?
   - Is iedereen binnen uw facilitaire organisatie hiervan op de hoogte?

2. **Onderzoek**
   - Wat doet u aan onderzoek naar de klantgerichtheid van de facilitaire medewerkers en de klanttevredenheid over uw dienstverlening?
   - Wat weet u op dit moment daarover te vertellen?
   - Wie zijn uw concurrenten en wat zijn hun bekwaamheden?
   - Welke interne en externe ontwikkelingen doen zich voor die voor uw positie belangrijk (kunnen) zijn?

3. **Assortiment en innovatie**
   - In welke mate worden de producten en diensten afgestemd op de behoeften van de klant?

- In welke mate bent u actief bezig met het zoeken naar en ontwikkelen van vernieuwingen en verbeteringen van uw diensten?

4. Prijshantering
- Wat doet u om een verantwoord kostenniveau van dienstverlening te bewerkstelligen?
- Wat weet u van uw prijsstelling/kostenniveau ten opzichte van de markt?

5. Distributie
- Hoe en in welke mate is de verkrijgbaarheid en toegankelijkheid van uw dienstenaanbod geregeld?
- Wat doet u om de distributie te stroomlijnen en dusdanig te optimaliseren ten einde de continuïteit van de productiviteit van de pandbewoners te waarborgen?

6. Communicatie
- Wat doet u aan profilering van uw facilitaire organisatie naar de pandgebruikers toe?
- In welke mate en hoedanigheid zijn uw diensten herkenbaar voor de klant?

7. Personele inzet
- Hoe komt u aan personeel voor de facilitaire organisatie?
- Maakt u onderscheid tussen front office en back office-medewerkers?
- In weke mate is het contactpersoneel klantgericht?
- Wat doet u om het dienstverlenend personeel te bekwamen en de noodzakelijke vaardigheden bij te brengen?

De bovengenoemde twintig vragen zal de facility manager uitermate kritisch en met een flinke dosis aan 'introspectie' moeten beantwoorden. Antwoorden als "we hebben geen concurrenten" of "een verantwoord kostenniveau komt bij ons tot uitdrukking in het vierkante metertarief" zijn absolute tekenen dat marketing nog ver weg is. Daarnaast wil ik nogmaals benadrukken dat de invoering van marketing binnen de facilitaire organisatie weliswaar een eenmalig proces is. De marketingstrategie en de implementatie ervan zullen ieder jaar opnieuw bezien moeten worden op aansluiting bij de huidige marktomstandigheden. Zowel intern als extern staat niets en niemand stil. De facility manager die snel en adequaat met deze veranderingen in zijn marketingomgeving op een creatieve manier weet om te gaan, en daarbij de communicatie en aansluiting met z'n omgeving nooit uit het oog verliest, maakt niet alleen de beste kans om te winnen. Die facility manager heeft al gewonnen.

Literatuurlijst

Bakker, Prof. dr. B.A., *Klantgericht denken & doen*, Samsom BedrijfsInformatie, Alphen aan den Rijn, 1988.

Cravens, D.W., *Strategic Marketing*, 4th ed., Irwin, 1994.

Eilander, G. en R.M. van Kralingen, *Naar 2020*, Kluwer Bedrijfswetenschappen, Deventer, 1995.

FMH, *Facility Management BV*, Bussum, 1995.

FMN, *Rubricering van produkten/diensten t.b.v. facilitaire kengetallen*, Release No. 3/nov. '95.

Heuvel, J., *Dienstenmarketing*, Wolters-Noordhoff, Groningen, 1993.

Jain, S.C., *Marketing planning & strategy*, 4th ed., South-Western Publishing Co., 1993.

Johnson, G. en K. Scholes, *Exploring corporate strategy*, 3rd ed., Prentice-Hall International, 1993.

Kok, H.B., *Kwaliteitsmanagement in dienstverlening*, Facility Management Magazine, december 1996.

Kotler, P., *Marketing management: analysis, planning and control*, 5th ed., Prentice-Hall, Inc., 1984.

Min, R.A.Q. van, *Strategische marketingplanning*, Samsom Uitgeverij, Alpen aan den Rijn, 1982.

Porter, M.E., *Concurrentievoordeel*, Contact, Amsterdam, 1994.

Sun-tzu, *De kunst van het oorlog voeren*, Kosmos-Z&K Uitgevers BV, Utrecht, 1994.

Vinkenburg, H.H.M., *Verbeteren van dienstverlening: een worsteling*, Tijdschrift voor Marketing, maart 1996.

Winkler, J., *Prijs en profijt*, De Management Bibliotheek, Amsterdam.

Witteveen, A., *Top 20 trends in strategisch management*, Management Press, Amsterdam, 1994.